MUJER
La Lucha por el
empoderamiento

Autor

Lina María Rendón Tovar

Agradecimiento

Primero que todo a Dios, a la vida, a las oportunidades, al Maestro, a las personas que me inspiran a seguir creciendo con la plena confianza de saber quién soy y para dónde voy, siempre con ideas claras y contundentes que ratifican mi seguridad y mi potencial.

Gracias a mi familia, al completo materna y paterna, a mi jefe, el señor Calleja, mis profesoras, a mi maestro, amigos, compañeros y a "mis panas"; a los sitios transitados, gozados y experimentados, ¡a lo bueno y lo malo!, a toda clase de experiencia y adversidad a la que me enfrento, a las fechas, a los más y por menores de la vida Gracias a todo lo vivido, por enseñarme a crecer, luchar y seguir avanzando.

Dedicatoria

Al señor
José Calleja (+)

Promesa de vida
Con cariño: Lina Rendón

Biografía

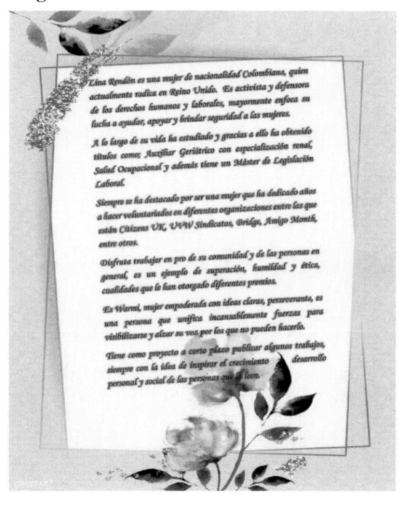

Lina Rendón es una mujer de nacionalidad Colombiana, quien actualmente radica en Reino Unido. Es activista y defensora de los derechos humanos y laborales, mayormente enfoca su lucha a ayudar, apoyar y brindar seguridad a las mujeres.

A lo largo de su vida ha estudiado y gracias a ello ha obtenido títulos como; Auxiliar Geriátrico con especialización renal, Salud Ocupacional y además tiene un Máster de Legislación Laboral.

Siempre se ha destacado por ser una mujer que ha dedicado años a hacer voluntariados en diferentes organizaciones entre las que están Citizens UK, UVW Sindicatos, Bridge, Amigo Month, entre otros.

Disfruta trabajar en pro de su comunidad y de las personas en general, es un ejemplo de superación, humildad y ética, cualidades que le han otorgado diferentes premios.

Es Warmi, mujer empoderada con ideas claras, perseverante, es una persona que unifica incansablemente fuerzas para visibilizarse y alzar su voz por los que no pueden hacerlo.

Tiene como proyecto a corto plazo publicar algunos trabajos, siempre con la idea de inspirar el crecimiento   desarrollo personal y social de las personas que la leen.

Información importante

Email: linarendon755@gmail.com

Teléfono: +44 07 702 314434

Facebook: Lina María Rendón

Instagram: @linaa_rendo

Telegram: +44 07702 314434

WhatsApp: +44 07702 314434

Homenaje a la Mujer
https://cutt.ly/3Q5ssK1

Prólogo

Deseo transmitir a mis lectores y al mundo la importancia de nunca rendirnos de **INSISTIR, RESISTIR, PERSISTIR Y NUNCA DESISTIR**; son reglas básicas y fundamentales para cualquier ser humano, explorar todo ese gran potencial que Dios nos dio, formándonos como seres de bien, útiles a la sociedad, desde el amor, la ética, la humanidad, la solidaridad, la empatía, la humildad, etc. El empoderamiento, forjarnos para el día a día en un ser multifuncional dando lo mejor de nosotros en ayuda, apoyo, amor, amistad, amnistía, compañerismo y derechos humanos. Todas estas cualidades, desde valores, fortalezas, virtudes, lealtad y seguridad, son naturales del ser humano, tesoro con el que nacemos muy pocos, que nos hace originales y únicos, brillamos con luz propia, orgullo que nos define por donde pasamos ya que dejamos huellas y legados imborrables positivos que ameritan seguir la lucha con gran valentía. Personalmente, mi felicidad y retribución es ver la satisfacción, alegría, agradecimiento, etc. que la gente expresa por todo mi arduo trabajo, ser voluntaria, aunque no me de economía, si me regala tesoros incontables como la arena; es el amor a mi prójimo, el crecimiento personal es lo más maravilloso.

Palabra mágica

Warmi significa; **Mujer** en Quechua, una mujer multifuncional, luchadora, valiente, y fuerte, mujer activista, proveedora de amor, amistad, apoyo, y alegría, mujer revolucionaria, digna de respeto, Resiliente y resistente, mujer migrante y maravillosa, mujer intercesiónal, impulsadora del mundo, con ideas claras e iniciativas propias, ella es incansable.

Mujer empoderada.

Las Warmis

Somos un grupo de mujeres activistas, revolucionarias, que trabajamos con cariño y respeto por los derechos humanos, por el bienestar y la seguridad de todas las mujeres del mundo. Realizamos múltiples actividades, nos unificamos para brindar apoyo, información, ayuda, talleres y conferencias para empoderar

a otras mujeres; condenamos totalmente la violencia de género, abusos laborales, discriminación,

xenofobia, Bullying, homofobia, racismo, etc.
Reciban nuestro apoyo incondicional Lina María
Rendón Tovar Warmi.

Te invito a disfrutar de este video titulado

Homenaje a la mujer.

contenido

Capítulo I - Infancia

Lina Rendón. Nací el martes 17 de diciembre de 1974, en mi hermosa Colombia, en la tercera planta del Hospital Universitario de mi linda ciudad de Pereira. Nací con muy poco peso, chiquitica, delicadita muy enferma, sin gracia, era muy feíta según la historia de mi madre y familia, no tenía buen desarrollo como un bebé normal.

Insignificante para mi madre, ya que ella siempre ha sido una mujer dura de corazón frío y muy poco expresiva, en cuanto a cariño. La señora no conoce este hermoso sentimiento, me puso un nombre de pila, asqueroso siempre me llamaba "raquítica come mierda", esa era la forma como ella se refería a mí, tanto así, que no se preocupó mucho por mí, según lo que ella misma me cuenta, yo de bebé hacía mis necesidades y amasaba me emperifollaba todo el cuerpo la cara (me untaba totalmente toda) nadaba en la orina, hoy en día pregunto dónde estaba mi

1

madre nos falló desde siempre, no gateé ni evolucioné con buen crecimiento ni desarrollo, caminé a los dos, era barrigona y con las piernitas secas, muy flaquitas y sin fuerza para andar.

Mi padre Luis, era de profesión balastro o "arenero" miembro de la Cardé de Ríos y playas Grandes Calientes; Al salado así llama el sitio normalmente trabajaba lejos de casa en compañía de su sobrino Diomer, por ende, viajaba todo el tiempo. Un día cualquiera, me miró una conocida de mis padres y les aconsejaron que me hicieran remedios para poder caminar, como vapores calientes y meterme debajo de la vaca para bañarme en leche caliente recién ordeñada y enterrarme en la arena caliente para recuperar la fuerza que, según el criterio de ellos, mi problema era que yo tenía paludismo y parásitos, ¡gente necia!, y otras que hablan desde su experiencia, esas son las que sirven. No sé por cuánto tiempo me hicieron ese proceso, pero gracias a este remedio y a Dios; camino, cada vez mi salud y todo mejoró; ahora soy normal y crezco sana y fuerte como todos los niños.

Ya mi madre no tenía por qué llamarme "raquítica" ¿verdad?, de pronto, en mi imaginación de niña inocente y falta de cariño pude percibir, sentir o pensar que ella ya me quería un poco o podía nacerle algún buen sentimiento hacia mí, pero no es así, con mis hermanos es igual o peor, puedo decir y contar por experiencia propia lo mal que nos hizo sentir en múltiples ocasiones; todos nosotros somos "unos buenos para nada" según sus palabras, aun hoy me sigue diciendo "gata come mierda", porque según soy malgeniada, rebelde y no me dejo de nadie. Posiblemente es la verdad, creo que son los resultados de tanto desprecio y abuso de María, mi mamá, y Luis quien es mi papá.

Lina soy yo, una niña de seis años que, a pesar de mi corta edad, he sufrido a vientos y terremotos. Soy la tercera de cinco hermanos: el primero Antonio, la

3

segunda Milena, la tercera yo, la cuarta Ángela y el quinto Andrés, este último hijo nació tiempo después como resultado de una relación entre María y un hombre que no es mi padre, de una relación extra matrimonial. Nuestra historia se remonta a los años 1974, solo quedamos cuatro hermanos y mi tía pequeña Yadira, hija de nuestra abuela preferida Nohemí García quien nos decía "mis cinco soles, brillantes como el oro de un tesoro" así nos consideraba mi abuela hermosa a nosotros sus tesoros.

En ese entonces, nos sentíamos felices y orgullosos del nombre que nos daba con todo su cariño, era una linda forma de expresarnos su amor incondicional y verdadero. Hoy en día sabemos el gran significado real y poderoso de la palabra mencionada por nuestra abuela: "mis soles", realmente es una palabra hermosa, sabiendo en su esplendor todo lo que representa en cada persona. Podemos decir muy alto y claro que estamos muy orgullosos de ser los soles de mi abuela Nohemí, pensar que el sol brilla naturalmente con fuerza y luz propia.

¿Qué sería lo más lindo y natural?, pues tener personalidad, seguridad y méritos por su propio esfuerzo, pero bueno, en ese entonces éramos muy pequeños para saber el verdadero significado de esa hermosa frase

"mis cinco soles", frase potente y maravillosa teniendo en cuenta que esta vida es cruel y llena de gente malvada, sin escrúpulos, etc. Por eso ocurrió lo que ocurrió con mi hermano

Antonio, quien murió al nacer por negligencia médica, ya que lo desnucaron y no hubo respuesta ni explicación a mi familia por la situación fatal que estaban viviendo.

¡Se imaginarán un matrimonio tan joven y pasando por una de las primeras tragedias que se presentan y son tan duras del diario vivir! María tenía 14 años de edad, la segunda de 4 hermanos, Luis de 17 años, era el quinto de sus hermanos, los 2 de una familia numerosa, par de niños menores de edad, sin estudios ni preparación porque sus familias eran de escasos recursos- Nadie ha dicho que la vida es fácil, pero tampoco imposible de salir a delante. No se rindieron, para ellos esa mala experiencia los hacia cada vez más fuertes, ¡perder su primer hijo!, era muy duro en una pareja que acaba de empezar, la ilusión de tener un hogar y en construir una gran familia, con todos sus juguetes y pensar que en el transcurso de 7 u 8 años ya tenían una familia numerosa, con dolor en el alma disfuncional, situación provocada por las necesidades materiales, educativas, económicas, psicológicas, afectivas, intolerancia y la inmadurez, la falta de respeto lógico de parte de ambos.

Los dos eran muy guapos y toda palabra, besos, miradas, caricias, etc.; bien o mal, dichas se prestaban para diferentes disgustos, como celos y malos entendidos, ya que les gustaba disfrutar de las amistades y las fiestas nocturnas, nada sanas, unos hijos algo difíciles de manejar. María es especial y con más temperamento que Luis, eso los arrastraba a la difícil integración social... fiestas, bailes, constantes infidelidades por parte de mi madre, burlas de ella para mi padre dejándolo siempre en vergüenza y de cuernudo con amigos en común no tan buenos, era el tonto y el bobo debido a lo buena persona y callado que es, para toda la familia hasta mi abuela Nohemí la mamá de ella le decía; ¡mire como esa mujer lo trata! despierte y no le aguante nada, una mujer que ya tiene su marido no tiene por qué portarse así y andar en fiestas y borracha y usted es un buen hombre, y ella

es como una bala perdida; música, licor, cositas nada agradables ni mucho menos beneficiosas.

Trascurrieron [pasaron] de 8 a 10 años. Ya tenían su familia completa, numerosa con cinco hijos, su situación no era la mejor, pero luchaban para salir adelante. Mi papá era de profesión balastrero y mi mamá trabajaba como empleada de hogar. Mientras Nohemí, mi abuela materna, era nuestra niñera cuidadora, empleada doméstica, profesora, doctora vigilante, despertador, madrugadora, y múltiples trabajos, porque 5 niños dan demasiado que hacer. Nohemí también tenía su hija pequeña Yadira, así fueron saliendo adelante con buenos y malos momentos, pero siempre juntos. De vez en cuando disgustos y maltrato intrafamiliar, donde todos éramos perjudicados, pues resultábamos todos golpeados, con hematomas por todo el cuerpo por intentar frenar la pelea eran gritos golpes sangre palabra obscenas.

Mi padre, por su trabajo, viajaba por diferentes ciudades muy cálidas y su trabajo muy duro, cuando venía traía su cuerpo lleno de heridas y quemaduras en bombas por el sol, a veces pienso que posiblemente esa enfermedad se puede desarrollar por mojadas calorosas o era mucho verano o mucho invierno y el todo el tiempo era metido en el rio, sus pies cortados le daban candelillas por la humedad, mis hermanas y yo lo curábamos lo amábamos mucho le sanábamos su espalda con cremas y todos le hacíamos remedios frescos con ayuda de abuela Nohemí ella lo quiere, le tiene cariño porque se porta bien y aguanta a la loca de su hija, eso si no se les puede negar; en mi familia son todos bien luchadores guerreritos muy trabajadores, ya saben cómo buenos colombianos no nos varamos bueno, por los viajes y trabajos de mi padre lejos de casa mi madre gozaba de lo lindo, por ende, mamá estaba mucho más tiempo sola y podía hacer lo que bien o mal quisiera ella es feliz de pati caliente con diferentes amigos llevándolos a casa sin pudor ni respeto ninguno ni por nosotras ni por su madre, así de traviesa es mi mamá ni siquiera le importaba lo que mi padre o nosotras pensáramos ni su pobre madre. Mi abuela sufre mucho porque ella se porta así, haciendo caso omiso a los consejos de su madre Nohemí. Así fue pasando el tiempo de mejor a peor; Mi padre Luis venía cada mes debido a que su trabajo le dificultaba estar todo el tiempo con nosotros, pero era la forma en que nos traía dinero para la manutención, Así es donde mi madre en una de sus tantas salidas he infidelidades resulta embarazada y papá no sabía que ella tenía cuentos con otros hombres, bueno yo creo que si sabía pero se aguantaba por vergüenza porque de otra forma no lo entiendo, no lo sé, lo que sí sé es que mi padre la ama más que a su propia vida, es de locura y pasan los meses ella vivía estresada asustada como decirle a papá que estaba esperando un bebé de otro hombre, ella fumaba mucho cigarrillo y yo mantenía pegada de ella me daba pesar verla así como nerviosa sin control y sin saber cómo resolver la situación, la verdad no sé qué pasó, pero me paso, y me gustaría saber algún día si fue un accidente o maldad de ella extraño no era, De un momento a otro ese cigarrillo quedo pegado de mi brazo tan horrible que yo pegué el grito y el llanto juntos, mi mamá, sacudía su ropa para que no se le quemara sin percatarse o (sin caer en cuenta) que la llama me quedó pegada de mi bracito, no me lo podían despegar, se me inconó tan feo, que han pasado muchos años y me quedó la cicatriz de por vida, yo triste con dolor lloraba y solo decía eso es para que no mantenga pegada del culo mío; más cruel no puede ser, yo tenía 6 años solo por quitarme de su lado. Pasan los días y   se pone muy gordita de su embarazo cuando llega papá se da cuenta que está esperando bebé hubo un problema feo ella decide irse de la casa y dejarnos; se fué con su amante, tripa recuerdo que le dicen así, lo peor es que ese hombre saludaba a mi papá como si nada cara dura, pero al poco tiempo de que mi madre viviera con ese señor se da cuenta que no servía para nada, un completo irresponsable de primera, la echó de su casa, no quiso nada con ella ni con él bebé, se lavó las manos, creo que tenía otra familia yo creo que es un poco hombre, y eso le pasó a ella por pati caliente, lo que mi madre piensa es que todos se llaman Luis verdad, con las mismas vuelve a casa con el rabo entre las patas como dice mi abuela Nohemí sin embargo, cuando papá regresa de viaje la ve en la casa y se llevó la sorpresa que el tipo ese no respondió por él bebé y mi padre sin ningún resentimiento, la recibe la perdona y la acepta, nuevamente empezamos todos juntos y felices bueno ya saben la felicidad dura muy poco en mi casa en mi familia, ya que mis padres son inmaduros y con ellos no se sabe con tanta inseguridad y especialidad válgame Dios, pobres niñas mi padre empieza a comprar cositas para recibir él bebé; sus pañales, ropa biberones etc. todo lo que ella y él bebé necesitan para el parto, la cuida como a niña boba con sus chocolaticos en la cama, sus buenas vitaminas, caldos, le cumple sus antojos, muy mimada y manipuladora con mi papá que cosa le da de todo.

Él trabaja mucho para darnos todo, y abastecernos, que no nos falte de nada, pasa el tiempo y nace él bebé; un varón, papá re feliz él solo tiene niñas, recibió el niño con todo su amor lo atiende, lo quiere lo cuida, le da sus apellidos y lo reconoce como su hijo. Todo por amor a mi madre, bien cuando papá viene de viaje nos dedica todo el tiempo del corto fin de semana para pasarlo en familia. Dos días no son nada, por eso lo aprovechábamos por completo a veces se podía quedar más tiempo, pero era poco.

Él bebé se llama Andrés. Un niño muy alentado, gordito. tiene como 6 meses es la felicidad de todos parecemos con juguete nuevo, llega papá y es la felicidad ambos se aman mucho mi padre y mi hermanito.

Salíamos de paseo y nos consiente bastante, mercábamos todos juntos vamos de compras, luego nos lleva a Pereira al aeropuerto Matacana a ver volar los aviones, y al zoológico a disfrutar de los animales más lindos y exóticos de mi Pereira hermosa

"trasnochadora y morena". Almorzábamos y nos daban unas paletas grandes ¡deliciosas!, luego sesión de fotos en una pequeña llama divina, mejor dicho, la felicidad era completa cuando él llegaba a casa, era nuestro rey y como todos los niños éramos caprichosos y aprovechábamos el amor y el cariño de papá para pedir algún juguete o dulcecito.

También nos compraba ropita, zapatos, todo lo que necesitábamos, era un excelente padre, comprometido y cumplido en todos los terrenos; uno de los paseos favoritos era; cerritos para volar cometas, correr y comer piña fresca sabrosa, montar a caballo era mi preferido, sin duda alguna hoy creo que es el mejor animal del mundo, amo los caballos; tristemente son tiempos que nunca volverán. Hoy en día pienso en mi padre y lloro sin consuelo alguno, recordando su humildad, un ser humano con un corazón enorme lleno de amor para su "pequeña gran familia", que nos amaba sin condiciones ni duda, simplemente con todas sus fuerzas. A mamá la amaba muy especialmente, pues era su esposa y su reina; Él era muy especial nos deleitaba con los súper desayunos tremendas sorpresas, muy bien preparados y abundantes, nos atendía en la camita con unas buenas bandejas de picada de todas las carnes, esos ricos desayunos nunca los olvidaré con huevos "pericos", (con cebolla y tomate) deliciosos sin duda alguna arepa, queso, chocolate con leche, etc., ¡todos sabrosos!; nos llevaba a pasear a todas partes y nosotros colgados como unos micos o (monos) de sus manos, cosa que indisponía mucho a mi mamá.

Luego visitábamos a sus otros familiares, oportunidad que tuvieron para lograr sus fechorías, pues tomaban a mi padre de mandadero a llevar recados. Él no tuvo malicia alguna y jamás desconfió de nadie, mucho menos de su propia familia, nunca fue capaz de decir no a nada ni a nadie, eso lo llevó a perder casi todo, por no tener decisión propia en la vida. Así de triste y duramente empezó nuestro sufrimiento, una travesía donde solo los seres humanos fuertes de mente y de corazón frío logran salir adelante.

Y todo por ser inocente de la maldad inhumana, Luis, mi padre, fue detenido lo llevaron preso por lavado de dinero, situación causada por el descarado de Samuel, primo hermano de papá, quien lo envolvió con sus mentiras bajas y de mala fe, ya que lo puso de mandadero como si fuera un niño. Mi padre era de buen actuar compasivo y humilde características y valores que odiaba mi madre de él, porque de lo bueno que era, carecía de decisión propia. Papá no conocía el dinero falso, y de esa forma Samuel se aprovechó. De la falta de conocimiento y malicia de su primo, por eso fue detenido y lo dejaron 15 días en el comando de la policía de Crucero, ¡que martirio!

Después de esto, mi mamá iba 3 veces al día a visitar a su esposo y nos llevaba a todas. Todo el tiempo lloramos sin parar, no nos queríamos ni salir de ese pasillo ya que solo lo podíamos ver a lo lejos por unas rejas. Para su alojamiento mamá le llevó cobijas, ropa, cosas de aseo, y muy buena comida; pues ella sabía que él y nosotros éramos amantes de su sazón (de su comida) pues nos hacía unos sudados súper deliciosos, mejor dicho, una chef profesional, no es por nada, pero mi madre cocina como una reina.

Todos veíamos a mi mamá llorando por mi papá, seguro que en ese momento aún se querían mucho, ella pensaba como iba llevar la obligación de la casa era algo muy difícil, y así fue, dura y muy complicada. Ella se enojó mucho con papá, por eso siempre le decía que él era "pendejo" poniéndole cuidado a todos esos no sé qué. Mi mamá era y es muy grosera de palabra, por esto que hacía papá hemos aprendido a entender el mal comportamiento de ella en cuanto a otros hombres: linda, joven, trabajadora, atravesada y encima, sufriendo maltrato intrafamiliar, pero todo en la vida pasa factura, seguro esa era la forma de que la vida y la fuerza divina los separó para que ninguno sufriera más, porque llega el día en que, hasta la mujer más fuerte, valiente o sumisa, explota, no era fácil vivir con inseguridades y celos de los dos.

Pasaron esos primeros 15 días de encierro y a mi padre lo trasladaron rápidamente en un furgón azul oscuro lleno de policías a la prisión de varones ¡que sufrimiento! Tan "verraco" ver a mi papá que penita, Ese día estaba blanco como la leche del susto, y encima estaba enfermo, de eso nos dimos cuenta estando en la prisión donde lo pusieron en un largo tratamiento. Estaba contagiado de tuberculosis. Lo llevaron a la cárcel de hombres de la 40 de Pereira y fue condenado a 18 meses y 4 días, era la condena más pequeña porque papá nunca había estado en una cárcel, gracias a Dios era solo como un castigo por no tener antecedentes penales. Luego a ese tiempo, de condena le rebajan por el buen comportamiento, trabajó y estudió, que realizó dentro del reclusorio. Así que pagó 14 meses de la dichosa condena.

Eso fue suficiente tiempo para que mi madre se descocara, de esta forma, empieza nuestro duro y gran calvario. Como por arte de magia, la poca felicidad se esfumó y se transformó en una situación sin criterio alguno, simplemente sin nombre propio, el dolor era poco para todo lo que venía en camino. Mamá de la noche a la mañana se convierte en padre y madre, una mujer "verraca" y luchadora, así lo asumió, empieza a trabajar como empleada del hogar sin descanso, de lunes a domingo, siendo mal pagada, pues ni siquiera seguridad social tenía, sin sueldo digno, ni contrato y mucho menos prestaciones.

Recuerdo que era una casa inmensamente grande y mamá tenía que atenderla toda, y encima, la señora descarada de la patrona la ponía a limpiar el almacén y toda la mercancía. Allí se vendían de todo: ropa, cacharro y electrodomésticos. Esa señora tenía unos hijos caprichosos y muy mimados, hijos de ricos, como quien dice ¡mírame y no me toques!, eso decía nuestra abuelita, "un par de zalameros", y el patrón resabiado, ranchado con los almidones del cuello de las camisas. Mi pobre madre planchaba mucho yo la veía a veces me llevaba y yo me tenía que portar muy bien y sentadita juiciosa en un rinconcito del patio al lado del lavadero, ella lo hacía porque yo soy la más apegada a ella, a mí me gustaba que me llevara porque me daba comida muy rica, pero poquitica, los patrones eran muy tacaños.

Todo lo que sabemos es porque mi abuelita, muy bella y llena de experiencia, también trabajó muy duro en casas de familia y sabía perfectamente lo que dicen de los ricos: "por eso tienen dinero, por infelices y abusadores de la mano de obra, aprovechados de la necesidad del pobre trabajador, y un total abuso laboral". Mi abuela Nohemí tomó el trabajo doméstico que desempeñaba mamá en nuestra casa, que era bastante: criar y recoger desorden de 5 niños, atender todo fue demasiado y mal pagado, ya que mi abuela lo hacía sin sueldo, sólo por el amor que le tenía a su hija su ñaña (ósea su preferida) María y también el amor que nos tenía como abuela, ¿saben por qué? porque mi abuela sabía que su hija era una loquita y trataba de ayudarla con toda su descendencia, y más por sus nietos "sus 5 soles".

Mi mamá y mi abuela estaban conscientes de la situación que se presentaba cada vez más difícil, así pasa poco tiempo y mi abuela enfermó gravemente con una enfermedad muy delicada, temida por millones de personas y desconocida por otros, la tuberculosis, dejándonos rápidamente solos, desprotegidos y muy afectados tanto física como moralmente; muy tristes con un vacío irreparable. A parte, quedamos delicados de salud sin saber en ese momento que estábamos contagiados con la enfermedad igual que mis padres.

Mamá rápidamente nos llevó al puesto de salud de Santa Teresita. Con análisis y pruebas en mano, el diagnóstico fue tuberculosis de Primer Grado con los pulmones afectados; de inmediato nos pusieron a todos, en un largo y duro tratamiento incluyendo a mis padres, papá desde la cárcel y mamá con nosotros. A pesar de esta situación de salud, mi mamá tenía que trabajar ¡calladita! y muy preocupada que la descubrieran, sin decir nada, porque los ricos son muy inconscientes, recuerda lo que te conté de las palabras sabias de nuestra linda abuela, igual si los patrones se enteraban la despedían y la dejaban sin trabajo y pues ella no podía decir nada ni pensar en abandonar o renunciar al puesto, aparte estaba de duelo por la muerte de su madre y por miedo no dijo nada y tragó fuerte.

Mis hermanas mi tía Yadira, todos en un largo y drástico tratamiento, gracias a Dios solo estábamos afectados en primer grado, con un año y medio de supervisión profesional de salud, todos los días una inyección ya no teníamos piel sana para más pinchazo, ya que con mi abuelita Nohemí compartíamos todos los implementos de casa, sin excepción, tampoco sabíamos del peligro de la enfermedad de nuestra abuela, la más amada por todos sus nietos.

Capítulo 2 – Familia

Desafortunadamente, la vida se tornaba muy difícil para estas niñas. No había padre ni abuela, y mi madre trabajaba de lunes a domingo; ahora a defendernos solos mientras mamá trabajaba para poder sacarnos adelante. Mi hermanita Milena así le dice mi madre y mi tía Yadira eran las encargadas de llevarnos y traernos al centro de salud para pincharnos a diario sin falta, es una enfermedad tan agresiva que uno debe ser muy responsable con el tratamiento. El dolor y los hematomas son demasiados, no tenemos piel sana ni nalgas que aguanten más inyecciones, quieran o no, somos muy pequeños el hecho de ver todos los días el mismo panorama y la bendita aguja y pensar en el chuzón o pinchazo ya era fuerte.

Siempre era ese mismo trote para allá y para acá, corriendo peligro tan pequeñas y solitas sin un adulto. Yo admiraba mucho a mamá: linda, joven, guapa, con su cabellera hasta las caderas, muy luchadora... Nos daba estudio, comida, y techo. Siempre fue muy trabajadora y cumplidora, se preocupaba si comíamos o vestíamos, ella nos compraba todo y vivía muy pendiente de nuestra presentación personal, especialmente para el colegio, demasiado exigente, teníamos que ir por el mundo impecables, bien lustradas, con ropas blancas impecables, planchados y sin una arruga, los tablones de nuestros uniformes le costaba mucho a mi Milena hacerlos porque era una plancha de carbón y la pobre niña pasaba trabajo con esa herramienta, ya que al no estar nuestra protectora, entre todas cogimos la obligación y el trabajo que desempeñaba nuestra abuelita, incluso de lo impecables y limpias, ganábamos honores por nuestra presentación personal, gracias a mí hermana.

Mi madre nos enseñó a la fuerza y con groserías el aseo, la limpieza, hoy día Milena es una niña enferma, obsesiva por el orden y el aseo, ¡impresionante!, me le quito el sombrero, hoy en día es algo que le agradecemos a mi mamá, y mucho más a mi hermana, que con su grosería nos enseno cosas muy buenas, porque sé quién soy y para dónde voy. Me quiero, me amo y me respeto, pero por cosas difíciles de la vida, en aquel momento nos convertimos en sus empleadas, recuerdo que cuando salía a trabajar le decía a la señora Ofir que nos echara ojito ella es una mujer muy buena linda y noble que nos quiere mucho una vecina, que todo el barrio la ama, ella nos dio los vestidos rosaditos en navidad regalos para todos, era como la madre de mi madre muy querida tenía varios hijos; Alex era disque novio de Milena, Walter de Yadira y Mono mío Ángela era muy chiquita por eso no tenía pretendiente, ¡ja¡ que risa disque novios si todos éramos unos bebés, en fin la inocencia.

Después que papá no estaba, yo sin darme cuenta, Desde cuándo y cómo me convertí en la defensora y protectora de mis hermanas, me siento como si fuera la madre de mis propias hermanas, ya que mi cruel y dura madre nos agrede física y verbalmente, pues nos maltrata como quiere. Ahora me pregunto ¿dónde quedaron los derechos de los niños, el amor, el respeto, el derecho a una familia? Algo que es indebido e ilegal porque éramos unas niñas indefensas, nos trataron como querían, nadie tiene derecho de agredir de esa forma a ningún niño.

Un día llegué temprano a casa, sobre las 11:30 am, salí pronto del colegio que era el único lugar donde nos sentíamos contentas, tranquilas, felices, en paz y seguras, al menos allí nadie nos maltrataba, era todo armonía y por eso allí nos sentíamos protegidos; había tolerancia, amor, paciencia, enseñanza y, además, yo quería mucho a mi profesora Esperanza, quien me tenía bastante cariño al igual que las otras docentes que enseñaban a mis hermanas y a mi tía Yadira. Mi madre vivía agobiada porque trabajaba mucho para poder traer el sustento a nuestra casa, ya que mi padre en ese momento se encontraba purgando (pagando) una condena porque fue engañado por Samuel, su primo hermano, muy querido en la familia y todo, pero muy mal arrendado.(mala persona) Como les he contado, mi madre trabajaba durante el día y por la noche se dedicaba a la fiesta, siempre iba muy contenta, le encantaba bailar, beber, vivir uno que otro romance, era muy alegre, como yo la describo en dos palabras "pati – caliente"; (mujer resistente que vale para todo) Yo me identifico mucho con ella, soy súper activa e incansable, parezco un terremoto.

Bueno, sigo adelante contando mi cruel y real historia... Como ya les conté, llegué muy temprano a mi casa, al entrar por el patio escucho unos gritos fuertes, desgarradores muy desesperados; efectivamente era mi pobre hermana Milena, la mayor de todas, ahí estaba debajo de mí madre María, válgame la redundancia ¡por favor, era su propia hija!, A veces no sé cómo decirle ni cómo tratarla, de madre o simplemente María, es difícil y muy complicado, porque ha creado en nosotras rabia, rencor, desapego, inseguridad y mucho dolor.

Es algo indescriptible, demasiado triste, fue y es muy grosera inhumana con nosotros, sus propios hijos, ya que no nos daba cariño ni amor, menos comprensión, carecíamos de múltiples necesidades para crecer con seguridad, respeto, y amor. Así que, allí estaba encima de la pobre niña golpeándola, hasta hacerle mucho daño, tanto que mi pobre hermana Milena estaba exhausta de hacer fuerza con ella intentando quitársela de encima, no podía con la fuerza ni el peso de mamá, mi hermana era muy pequeña para luchar con ella, Tenía todo su rosto ensangrentado y lleno de hematomas, su pequeño cuerpo estaba débil, mamá nos pegaba mucho, recuerdo solo le reclamaba por qué no tenía la comida preparada, ya que su amante llegaba de trabajar y con hambre.

Por más que mi hermana intentaba explicarle que no le alcanzó el tiempo, por qué tuvo que hacer un trabajo largo del colegio, mamá no la quería escuchar.

Seguía ciega de cólera contra su primogénita, golpeándola hasta perder el control totalmente, no teníamos quien la controlara y la quitara de encima de mi hermanita, solas ante el peligro; de nuestra propia madre igual tenía resaca y malestar de la noche anterior, de su dichosa fiesta, pasó trabajando todo el día dando paso al agotamiento, cansancio, y rabia de tener que trabajar sola para alimentarnos, ya que ella era la única que trabajaba para sacarnos adelante, siempre nos lo repetía y nos lo echaba en cara, que por nuestra culpa le pasaba de todo no se daba cuenta que solo éramos unos niños indefensos a su merced, lo que hacía con nosotros teníamos que verlo, oírlo, y callarlo si no queríamos más correa o castigo, ¡ni siquiera a mi padre!, rogábamos a Dios del cielo que alguien conocido o un buen vecino le contara de alguna forma a mi padre lo que estábamos viviendo y por lo que ella nos obligaba a pasar, al menos que cualquier persona particular le contara a él que ella tenía un amante y que lo odiábamos por querer suplantar el sitio de nuestro padre.

Para nosotras sus hijas, era amenazante cada vez que mamá recibía a sus amores, sólo con la mirada nos decía todo. La amenaza siempre para todas, era que si alguna hablaba de lo que pasaba en nuestra casa ¡nos cortaba la lengua! (literal) nos lo decía con todo el descaro del mundo. Esa era la casa de matrimonio, pero ella nunca la respetó; cuando mi papá trabajaba lejos también lo hacía.

Mi abuela Nohemí en ese entonces, cuando estaba viva, le decía mucho a mi mamá que ojo y mucho cuidado con lo que hacía, que eso estaba muy mal y que no era bueno que nosotras tan niñas viéramos esas cosas que ella hacia y nos daba mal ejemplo, y no solo eso, le decía que Luis también era un hombre bueno y correcto. Cada día traía un hombre diferente, todas corríamos peligro, mi pobre hermana por ser la mayor; sufrió toda clase de abusos, tenía que limpiarle y lustrarle el calzado al amante de ella, y pobre que no lo hiciéramos bien o que quedara mal, porque por ahí estaba ella con su autoridad, mal humor, y malos tratos.

Un día cualquiera, mi hermana preparó el almuerzo y le dio por comer un trocito de carne, solo quería saber que tal cocinaba, si al menos le había heredado la sazón a la mamá, pero contó con muy mala suerte, que él viejo descarado del amante Carmen ese logró verla y de una le fue con el chisme a mi mamá y cuando llegó de trabajar, cansada y agobiada, al ponerle cuentos de nosotras, ella perdió los cables ¡como siempre! Porque desde que mi papá y mi abuelita no estaban con nosotros, hacían lo que querían nos ultrajaban y se reían, mi mamá se ponía de ira hasta la cabeza con lo que ese tipo le decía de nosotros, solo porque no quería que ella se preocupara por sus hijos ese hombre la manejaba a su antojo, cada vez la alejaba más, en ese instante empezábamos a llorar porque ya sabíamos lo que le iba hacer a mi pobre hermana y nosotros al llorar todos llevamos el mismo bulto, porque siempre era igual, el castigo estaba servido a la orden del día con ella, era suerte que en algún momento sonriera o nos hablara con formalidad ya que cariño nunca hubo de su parte.

Bueno, se dejó venir encima de la niña, y le dijo "eso no se hace nunca más, nos vas a dar sobrados con babas, ahora aprenderás que eso no se vuelve hacer". En su maravillosa vida, válgame la redundancia, por no expresarme mal y con sus palabras, cogió la piedra de partir la panela y comenzó a golpear sus manitos y sus deditos mientras le repetía "nunca lo volverás hacer en tú dichosa vida", no quiero repetir sus palabras.

Sinceramente, hasta respirar, nos daba temor, el miedo a ella era tremendo.

Cuando se trata de castigar mamá era y es demasiado cruel, disfrutaba y era feliz viendo nuestro miedo hacia ella, eso los empoderaba a los dos, tanto a ella como a su amante, solo querían desquitarse de mi papá, porque estaba en el camino. Él no debía nada a nadie, y la forma es haciéndonos daño. Y no contenta con ese hombre en la casa, trajo a la suegra a vivir con nosotros que mujer tan mala esa señora era horrible peor que el Carmen su hijo mentiroso mi mamá nos sacó de la cama para acostar a la dichosa mujer ahí, ¡nos tiró a dormir en el suelo!, esa señora nos hizo la vida peor que el hijo. Nos daba unos pellizcos, nos tiraba saliva, teníamos que cocinar para todos y más a mi hermana por ser la mayor, Milena sufrió peor con esos animales, solo por parecerse a papá que ignorantes,

ellos saben que si papá se enteraba le dolía en el alma, porque mi hermana era su niña mimada, y la

35

misma cara, son como dos gotas de agua; aun así, a Chinita le quedaron secuelas de tantos golpes, quedó sufriendo de hemorragias nasales, agregando todo lo anterior y siendo muy de bebé, la mordió un ratón en la nariz perforándole los vasos nasales.

No entiendo el motivo por el cual mamá sentía tantos celos de todas sus hijas. en especial de mi hermana. No sé qué pensaba, pero yo creo y puedo decir muy segura, que estaba a la defensiva siempre porque el papá biológico de mi hermano nos quiso mucho, le decían "Tripa" y él nos tenía cariño nos daba mecato (dulces) seguro para que no contáramos nada y no dejaba que ella nos castigara, siempre nos defendía y ella se enojaba con él, le peleaba porque él nos ayudaba.

Pero la verdad que pocos hombres como ese "Tripa", muy respetuoso y detallista, pensaría que esta vez sería igual, sentía que ni papá ni nadie la amaría como ella merecía y que nosotras, sus hijas, éramos las culpables de ese desamor y de esa inseguridad. Nunca entendió que un padre ama como padre y que ella era su esposa y nos culpaba por él querernos a nosotras ¡sus hijas!, la debilidad de papá éramos nosotras.

De igual forma, nos hacía daño a todas, en ese momento lo único que yo pensaba es que era muy pequeña, pero aun así no me detuve, yo solo quería salvar a mi hermana de las garras de mi madre. Me arrepentí mil veces, pedí perdón a Dios por mi comportamiento con mi madre, pero no me quedó de otra más que cogerla de su larga cabellera, que descendía hasta sus caderas, de esa forma logré dominarla para que doblegara y soltara a mi hermanita Milena aproveché su cabello, lo envolví en mis pequeñas manos y lo tiré hacia atrás con toda mi poca fuerza, aprovechando que mamá todavía estaba borracha casi siempre terminaba su fiesta donde Ofir, porque ese fin de semana tenía libre, entonces aprovechaba para salir de fiesta y en la noche anterior también había salido, yo súper asustada con los nervios de punta al ver el panorama en que se encontraba mi pequeña familia, destrozada, encontré la manera de actuar para que mi hermanita lograra huir rápidamente, solo gritaba con mucho miedo y desespero

¡vete hermanita vete, vete, vete... por favor corre, corre, corre muy rápido que ya te alcanzo, vamos a buscar ayuda!

Luego pensaba cómo yo iba hacer para soltarla, ahora igual seguirá conmigo; fueron momentos difíciles de angustia y de mucho pánico soltarla era mi desafío con la vida, pero sin pensarlo dos veces salí como alma que lleva el viento al encuentro con mi hermanita. Mis hermanitos pequeños estaban súper asustadas debajo de la cama evitando que les pegaran, pero era igual, había castigo para todos 5, hasta Yadira su hermana y el bebé también llevaba del bulto por llorón eso decía mi mamá, era lógico ellos por ser más pequeños se asustaban más fácil saben,

Recuerdo que la casa de mi tía Merche era la más cerca, como a unos doce minutos, así que salimos corriendo como locas muertas de pánico. Suerte que estaba la puerta abierta, entramos llorando todas llenas de sangre y sucias, pero a mi tía le importó muy poco ver a sus sobrinas en esas condiciones ya que las dos eran "uña y carne", tal para cual, Merche era tan o peor que mi mamá, siempre de rumba y con hombres diferentes sus hijos sufrían tanto como nosotras yo amo a mis primitos, recuerdo con lágrimas en mis ojos unas cartas donde su hijo mayor le reprochaba su comportamiento y su decepción como hijo por las infidelidades para su padre, Mi primo bello un niño juicioso estudiado familiar de militares paternos el seguía sus pasos muy centrado amado por todo el mundo respetuoso tremendo ser humano, Augusto cayó en una fuerte depresión y vergüenza ajena por culpa de su madre al saber que ella abandono su hogar y a sus hermanos se fue a vivir a Cali con José, Tristemente mi primo murió en extrañas circunstancias en el cuartel de puertos de Buenaventura la verdad nunca supimos cómo fue su muerte para mí lo más lindo que nos dejo fue su hijita que nació poco después de su muerte, solo recuerdo una madre desprotegida y una bebé chiquitica hermosa recién nacida que tiene más de Cifuentes que otra cosa la cargue muy bebé y nunca más supe de ellas Mi tía Merche nos vio llegar así y Sólo dijo "María está loca"; recuerdo que mi primo Lupi, el hijo pequeño de ella, nos quería mucho, nos dio agua nos limpió la sangre, también nos lavó la cara y nos calmaba. Muy lindo pero cansón, me ponía sobre nombres de cariño como "pingüino", "medio metro", "recorte", etc., solo porque soy pequeña de estatura, la verdad eso no me preocupa, porque eso no me define como ser humano. Con él no se sabía que bobadas me decía, pero igual nos queremos mucho, eso se olvida; cuando nos daba el sobradito de su comida, siempre compartía, muy bello mi primo.

Nos calmamos y mi tía Merche dijo "vallasen para la casa que su mamá las está esperando y yo no quiero problemas con esa flaca porque ustedes están aquí". Mi mamá era y es tan malgeniada que ella la conocía perfectamente y nos echó a la calle, por más que le rogamos no nos dejó quedar en su casa, no sabíamos dónde dormir, nos resguardamos por las paredes con hambre, sed, frio y mucho miedo.

En nuestra casa había palos de naranjo, limón, plátanos, nísperos etc. Ahí abundaban los gusanos y diferentes animales ya que era rastrojo o hierva, había serpientes a unos 11 o 12 metros había un solar muy bueno y grande, donde papá cultivaba verduras y frutas, naranjo, nísperos, plátanos, cacao, limón, sidra, ahuyama, coles, de todo un poco, hasta plantas medicinales como la ortiga, altamisa, yanten, eucalipto entre otras. Él era casero, hacendoso, cariñoso, y responsable, por ese patio pasaba el Rio La Vieja que siempre se crecía muchísimo, tanto, que el agua entraba hasta la cocina ¡imagínense!

Pensándolo mucho, pues Ángela estaba haciendo tareas y no se dio cuenta, y fue mejor así, pues ella era muy pequeña y si nos lograba ver, mejor dicho, hoy no estuviera contando mi historia. Nos metimos debajo del piso, ahí pasamos una dura y larga noche mi hermanita mayor y yo

El bebé era muy pequeño, se la pasaba durmiendo todo el tiempo, yo amo mucho a mi hermano, en mi corazón sé que todos somos iguales, aunque no fuéramos hijos de papá y mamá.

Nunca entendí por qué si todos éramos sus hijos, Mi madre solo se ensañaba con tanta furia con mi hermanita mayor. Mamá decía que era porque ella era la misma cara de "ese viejo"; yo le preguntaba ¿de cuál viejo?, y ella muy sínicamente me respondía "pues de su papá", y agregaba "recuerdo cuando él me golpeaba, yo era buena mujer con él y jamás lo valoró, ese es mi gran dolor, siempre que consumía droga se transformaba en el peor demonio, y sé que es verdad que de esta forma era que mi padre le reclamaba sus deslices porque en sano juicio le tenía era miedo, y era lo que a ella le dolía, tras de ladrona bufona eso decía mi abuelita, y me decía por eso nos agredíamos, porque yo tenía que defenderme del poco hombre ese, ahora que él no está,(recuerde él está en la cárcel) ella me lo recuerda siempre, ¿cómo olvidar la mala vida que medio?" A todo esto, mi hermanita pasaba a deberle. Es muy fuerte que una madre se ensañe, de esa forma tan cruel, con su hija por aguantar maltrato o 'violencia intrafamiliar'. Se llenó de rabia, rencor y, si tenía corazón, cosa que no creo, y si lo tiene, está totalmente podrido, herido, y vacío, yo estoy segura que la actitud de mi mamá es rara y muy injusta. Sólo por el hecho de que Mi hermanita se parecía a mi padre, creo que los genes se manifiestan de alguna forma ¿verdad?

Así, sucesivamente, pasaron 14 meses y 15 días hasta que por fin mi padre tuvo la libertad. Sus hijos estábamos felices al recibir tan grata noticia. Gracias a su buen comportamiento y trabajo realizado en prisión, su condena fue rebajada a catorce meses. Pensamos rápidamente como niñas ilusas, que todo lo que brilla en esta vida es oro, así que estábamos convencidas que nuestra mala situación terminaría apenas papá entrara por la puerta, el amante de mamá el Carmen ese mentiroso saldría volando, pero hasta ese momento no supimos qué era peor si perder a una abuela, a una madre o a su propio padre, así de sencillo les cuento;

Fue entonces cuando llegó mi padre con lo puesto y feliz de estar en casa con su familia en libertad, hasta ese momento fue felicidad que se esfumo en segundos. Mi madre días atrás la vimos haciendo maletas para marcharse con su amante, tal cual apenas mi padre puso un pie en la puerta ella empezó a cargar las pocas cosas de casa en una carretilla, nos dejó sin nada, todo o nada de lo que teníamos en nuestra casa, se lo llevó todo dejando el rastro frio vacío y muy sufrido. Así fue que hizo su mudanza sobre nosotros sin importar los llantos y suplicas de todos, incluso de mi padre que la amaba como a nadie. Así se desapareció sin dejar señal ni huella alguna, solo nos dejó el sufrimiento y una gran obligación para mi padre.

Así fueron pasando los meses y poco a poco mi padre cayó en depresión por amor a ella, cada día se entregaba más al vicio hasta el punto de dejar entrar hombres a la casa para consumir drogas y faltarnos al respeto, especialmente a Mi hermana que era la mayor. Él se marchaba a trabajar y nos dejaba al cuidado de   Chila ella es invalida, su hermana, nuestra tía, que también era drogodependiente y tenía un marido músico recién ingresado al cuento del vicio la droga mejor dicho ese panorama era como novios recién casados no perdían cigarrillo unas chimeneas, ya no éramos sirvientas de mamá si no que ahora somos las empleadas de mi tía, con las mismas no parábamos de ver cada cosa para empezar Cada vez le importábamos menos a papá, muy tristes llorábamos sin consuelo, él venía cada 15 días o cada mes, se quedaba con nosotros una semana y le dejaba a mi tía dinero para nuestra manutención. Mi padre convencido de que su flamante hermana nos cuidaba bien, se marchaba tranquilo.

Mis padrinos de bautizo, Lina Rendón

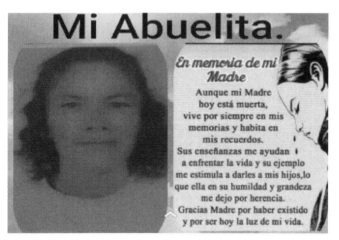

Mi Abuelita.

En memoria de mi Madre

Aunque mi Madre
hoy está muerta,
vive por siempre en mis
memorias y habita en
mis recuerdos.
Sus enseñanzas me ayudan
a enfrentar la vida y su ejemplo
me estimula a darles a mis hijos,lo
que ella en su humildad y grandeza
me dejo por herencia.
Gracias Madre por haber existido
y por ser hoy la luz de mi vida.

Capítulo 3 – Miedo

Fue pasando el tiempo y todo se hacía más difícil. Todo el sufrimiento y el desprecio por todas las personas que nos conocían y a las que amábamos nos dieron la espalda, incluso mi padre, por irresponsable volvió a caer en las malas manos de su familia, el Malo lo enredó como siempre diciéndole que le vendiera nuestra casa y que él le dejaba de por vida una habitación para vivir hasta que muriera.

Todo era falso, ese hombre era tan malo que la envidia le pudo, le dio a mi papá 45 mil pesos por la casa. Papá pensó que era buena oferta ya que le daría una habitación de por vida según lo que le dijo, Mi padre le decía como dejo mis niñas sin casa solitas sin mamá, Pero nada le valió, ahí estaba el Malo dando, coba, y manipulando diciéndole a papá que él necesita esa casa para negocio, que eso ya no era nada más que un parche donde consumen de todo, porque mi tía dejaba entrar al perro al gato y al león sin excepción a todos los animales de la granja, y mi padre le recibió el dinero al Malo,

así que nos dejó en la calle cada una hicimos una bolsita de ropa y sin rumbo nos fuimos a donde nos dieran posada, Mi hermanita mayor se fue a donde mi tía Merche con miedo de que no la recibiera, ya que es igual o peor que mamá, y como dicen, que escoba nueva barre bien, mejor dicho, llegó la que va hacer todo en la casa (los primeros días buen trato) para la niña, como no, si es sumisa, linda, trabajadora, guapa calladita, y encima debe aguantar de todo por no vivir en la calle, como decía mi abuelita; ver, oír, y callar, y sin problemas, ya que mi tía tenía sus amantes y a su esposo y por eso la niña ni entra ni sale, no fue mucho cambio para mi hermanita Milena, que triste los mismos Malos regados por todas partes, tanto es que no se le ocurra ni opinar justo lo que Merche necesita una buena empleada para que se encargue de la casa, ya que sus hijos mayores estudiaban, y Merche también consumía disque para que las lavadas le rindieran no tenía quien le ayudara, Milena era perfecta, y como ellos mismos decían; lo comido por lo servido, así que todo se lo sacaban en cara, unos completos descarados, maltrato humillaciones, mi hermana se llevaba bien con mis primos mayores los hijos de Merche ya que todos están por la misma edad la verdad la hija mayor de ella es linda y buena persona Nana yo la quiero mucho y le tengo pesar porque sufría calladita el comportamiento de su madre igual que su hermano mayor sentían vergüenza de esa madre, y a su padre lo amaban y le tenían pena por callado, como nosotras a nuestro papá, mi tía ponía a Milena a lavar y planchar ropas ajenas costales llenos de ropa sucia a cocinar y explotándola en todos los sentidos con malas palabras y mal comportamiento, la obligaba hacer cosas que una niña no tenía que pasar vulnerando la vida y la integridad de mi pobre hermana.

Que mujer tan Mala, Merche no daba puntada sin dedal todo para, ella egoísta sin amor por nada ni por nadie lista como ella sola, poco tiempo después, mis primos pasan por lo mismo que nosotras muchos problemas por culpa de su madre Merche.

en esos días Milena queda embarazada siendo una niña con 15 años para 16 y Merche la hecho de su casa sin piedad crueles como ellos solos, es ahí donde a Milena en compañía de Ángela les toca enfrentar la vida con ayuda de Dios, el tiempo de embarazo fue con muchas dificultades ya que tan niñas nadie les daba trabajo ni mucho menos cobrar un sueldo para vivir un poco mejor, así que pasan el tiempo como Dios les ayuda Ángela y Milena hacían trabajos de vez en cuando en casas de familia y así se ayudaban las dos para comprar todo lo que él bebé necesita llega el momento de dar a luz, tiene su niña Liced, una muñeca bella gorda sanita que alegró la vida de todas nosotras, especialmente de Ángela; desde que liced estaba en la barriguita de su madre tenía una gran conexión con su tía Ángela, se querían mucho parecía que ella fuera la madre, en cambio de Milena, lo digo porque mis dos hermanas se quieren muchísimo tanto es así que Milena empezó a trabajar en condiciones y mi hermanita cuidaba la bebé, así todas guapitas salieron adelante. Sigue pasando el tiempo y mi hermana muy trabajadora sacando su niña adelante se marchan a la capital, están muy bien, tiene su hogar y todo va sobre ruedas, Pero Milena decide emigrar a Europa y ahí se quedó se casó, y se amañó tanto que dice que ni con agua caliente la sacan de la rioja, hay vive con su familia sus nietos bellos, Casa la reina es hermosa, y acogedora, lleno de gente linda, servicial y maravillosa, a la que agradezco todo el cariño a mi amada familia. Me siento afortunada y muy orgullosa de mi hermana, una mujer RESILIENTE que ha pasado lo suyo y sigue fuerte al pie del cañón con dos ovarios, la amo por siempre.

Merche abandonó a sus hijos; dejó todo por su amante, recuerdo que se juntaba con el Malo de su hermano hablar de nosotras a decir que somos buenas para nada, un encarte, siempre decían cría cuernos y te sacaran los ojos, lo que ellos hacen es abusar de nosotras en todos los sentidos.

Yo donde el Malo junto con papá y él bebé, Tristemente fue muy poco tiempo porque al mes los tiró a la calle.

Papá vivía con mi hermanito en un rancho abandonado que era de la tía Merche y ahí pagaban alquiler, a sus sobrinas a ellas no les importaba en las condiciones que estaban alquilando, saber que descaradamente, les cobraban por un cajón de adobes sin puerta sin energía sin nada descaro inhumano, no sé cómo pudieron vivir en esas condiciones, sin cocina, la puerta era una cobija vieja y rota el frio el peligro de ese rio pegado a la puerta un día se creció tanto que mi papá y mi hermanito les tocó subirse al lavadero para trepar al muro donde era el baño de hace años, como les digo ahora solo existe el tubo del bajante, se imaginan el susto y el miedo que pasaron los dos, ese cajón lleno de pantano, lodo, basura y ellos intentando salvar sus vidas, ellos salían por allí entre horas para hacer mandados y a buscar que alguien de buen corazón les diera un plato de comida, papá estaba enfermo por consumir y al Malo le importaba muy poco como viviera su hermanito junto con el niño, lo único que le importó fue robarle la casa, ese hombre siempre vivió celoso de papá, y de todos los hombres su mujer tenía que estar ciega, sorda, y tonta, y no mirar ni hablar con nadie, ¡psicópata despiadado!

Yo la quería mucho, viví cada golpe con ella y sus hijos, tanto así, que yo era la mayor, la esclava de esa casa y cuando ese tipo la golpeaba, yo le tiraba con lo que fuera para defenderla, no me importaba que me pegara. Después de las 7:00pm empezaba a consumir sus porquerías y se convertía en el mismo satanás así nos mantenía amenazados a todos con el cuento que no le sacáramos rabia porque se convertía y no respondía, por lo que nos hiciera solo era vicio de todas las noches, fumara o no era el mismo guache violento y pervertido, solo esperaba que yo llegara de esa chabola donde me metió a vender sus mierdas, todos los días tenía que llegar hacerle cuentas y entregarle hasta mi risa, si de pronto yo le rebajaba algún peso a alguien yo sí o sí tenía que recuperarlo como fuera porque nos trataba de lo peor tanto a su mujer como a mí, todas las noches parecía la hora llegada de muerte.

Eso era un problema, cada día nos trataba de ladronas, putas sinvergüenzas, con lo que fuera nos golpeaba nos sacaba Sangre, insultos, abusos, gritos llanto de todo eso era aterrador vivíamos en los bajos de Milo en sandiego ese animal podía hacer lo que fuera porque hay nadie lo escuchaba, y encima su mujer enferma de amor que por eso le pegaba porque la amaba pobrecita, recuerdo todo como si fuera hoy, cierro mis ojos y puedo ver aun el miedo de sus hijos mis primos, viendo como él desquiciado de su padre nos daba golpes por parejo a todos, Y yo al otro día tenía que irme a ese rancho viejo a venderle sus porquerías lo que me obligaba antes de ir a ese rancho que era en otro barrio yo me duchaba me arreglaba para ir hacerle las ventas a este degenerado, ese cochino, sucio, animal, asqueroso, condenado pervertido, mala persona me miraba por las esterillas de la cocina, yo como fuera tapaba con mi ropita y la toalla, pero ese sinvergüenza se las arreglaba para mirarme y era todos los días puedo decir que su esposa no se enteraba justo.

Mandaba la mujer a la tienda y ella se quedaba hablando con doña Leonor la vecina de la tienda la mamá de manguera y ese animal aprovechaba, siempre me faltaba el respeto, me miraba peor que un depravado cochino, me tocaba mis piernas y me decía ¡hui, mamacita, como esta de linda, toda formadita!, no me podía ver con blusas destapada los hombros, porque siempre tenía pretexto para tocarme y mirarme con morbo. Yo le decía: "¡pervertido, respete... como esta de viejo y con esas cochinadas! ¡para eso tiene su mujer! ¡no ve que soy una niña como sus hijas!" si, pero no es mi hija es mi sobrina.

Mi hermana Ángela se fue a vivir a donde la tía Fabiola, mi hermanita paso fatal por qué tan pequeña tenía que hacer toda las labores de casa como una persona mayor, mi tía también era discapacitada y estaba criando los hijos de mi tía Chila que era drogodependiente y no se hizo cargo tampoco de sus niños mi tía Fabiola necesitaba mucha ayuda tenía un familión muy grande y todos trabajaban por ende ella se quedaba sola hasta la tarde noche que llegaba el cucho su marido para que le ayudara pero ya no era necesario ya estaba mi hermanita Ángela y nena la niña de Chila el cuento de todo es, lo comido por lo servido así que de alguna forma debía pagar el techo, la comida y la dormida porque ni una blusa les daban manejando estufa de gasolina ollas inmensas o fogones de leña pero bueno, y mi tía Yadira se marchó con su hermana Lucita, a quien amo con locura, también estaba casada y con 5 hijos, amo a mis primas y a mi primo. Aun así, mi tía Lucita le hizo campo a Yadira, su hermana pequeña.

Tristemente el niño no corrió con la misma suerte, él bebé Mao era muy pequeño y no pensamos en él, lo dejamos a su suerte rodando con papá entre hambre, vicio, y tantas porquerías. Inconscientemente, nosotras tan pequeñas, no nos dábamos cuenta del mal tan grande que se estaba formando en él niño. El caos le terminó arruinando su vida prácticamente para siempre, el estar detrás de papá viendo consumo de droga, robo, bala, violencia, y mil cosas, el niño siempre se mantenía con su cobija en el hombro, sin camisita y una pantaloneta, y su biberón en mal estado. Mi padre ni se daba cuenta, a pesar de todo lo amaba y lo aceptó registrándolo con sus apellidos. Estaba tan hundido que no reaccionó.

Bueno, sobre los 6 años lo entró a estudiar, pero era un niño conflictivo, agresivo y cada día me hacían ir a la escuela para hacer compromisos por su mal comportamiento. Él era una cosa imposible, me pasaba por la galleta, se burlaba de mí, yo no sabía qué hacer con él hasta que decidí buscar a mi mamá para que se hiciera cargo de su hijo y la encontré.

Ella habló con su marido y el aceptó que se trajeran al niño, pero fue peor el remedio que la enfermedad, el mentiroso ese del Carmen le compró una caja para lustrar calzado y el niño tenía que trabajar todos los días después de salir de la escuela, según ellos para que recogiera fondos para su fiesta de la Primera Comunión. Es verdad, el niño muy lindo, juicioso y feliz por estar con mi mamá, al menos tenía donde vivir y donde comer, se dejaba castigar del mentiroso ese miserable aprovechado y le pegaba como a un enemigo, tanto así, que le daba plan con un machete y mi mamá no lo defendía porque si se metía el hombre también le pegaba a ella.

Recuerdo que la volví a ver cuando yo tenía 15 años, porque fui a visitar a mi tía Lucita que vivía en un pueblito de Risaralda y en ese pueblo vivía mi mamá, pero yo no sabía nada de nada, según eso porque el marido no la dejaba que se acercara a nosotras. Ese día llegué al pueblito este, y en la plaza conocí los amigos y vecinos de mi tía Lucita y de mi tía Yadira que eran muchos, todas lindas personas y amables: Hugo, Fredy, María, Martha Sora, Dama, Lucy Aleida, con los días conocí a Noelia y su familia bueno a todo el pueblo tanto así que me amañé y entre ellos conocí al que hoy es mi esposo "Yulita", nos cuadramos rápido, éramos novios, a mis amigos los pasajes, a Yoli la más pequeñita del pueblo de

Santuario bueno chévere, fuimos a tomar fotos y luego tomamos algún refresco y nos fuimos a casa de mis tías y es ahí donde mi tía Lucita me dice que mi mamá vivía cerca.

Les juro, que casi me da un infarto de la felicidad, porque quería verla al igual que a mi hermano, pues ya había pasado 3 años desde que se lo entregué, y cuál fue mi sorpresa, que vamos llegando a la casa donde vivían y había tremendo escandalo: gritos, insultos y machete por parte de ese mal hombre, marido de mi mamá, quien estaba dándole castigo a mi hermano reclamándole la plática que él se ganaba limpiando zapatos todos los días le quitaba el dinero no le dejaba ni para un bombón por donde fuera; vamos bajando una lomita y dice Yulita Ese niño es de su hermano le dije si porque de verdad sí, y me dice que pesar de ese chino ese señor le mete una pelas tremendas a ese niño es lo que dice todo el pueblo que hace tiempos ven todo eso pero nadie hace nada por él, mejor dicho, eso fue como romperme el corazón por una vez más, yo me metí, como siempre, a querer defender a mi hermanito, vaya re encuentro tan triste, y ese hombre me dio un golpe tan fuerte, que de una aterricé como una arepa al suelo, contra el registro del agua o (acueducto) de la calle y ahí me cogió la cabeza y me golpeó muy horrible, hasta el punto que me hospitalizaron, me dejó muy mal; un salvaje es poco.

Cuando estaba mejor y curada de las heridas, fui rumbo a una estación de policía para poner el denuncio y decido llevarme a mi hermano a la casa de mi tía Lucita Yadira quien trabajaba en una guardería, y muy bella me compraba todo lo que yo necesitaba como si yo fuera su hija, muy hermosa, siempre nos quisimos mucho, ya éramos los tres de arrimados donde mi tía Lucita. a pesar de toda la situación jamás hemos tenido mal comportamiento ni vicios,

Nunca nos hemos fumamos ni un cigarrillo, nada de lo que nos ofrecían, ya sabíamos todo lo que se nos venía encima si hacíamos algo malo, como recibirlo o consumirlo, no debíamos porque lo más seguro para todos era nuestro final. Eran muchos espejos, que vemos en la familia y en la sociedad habíamos visto, no podíamos caer en algo tan ruin como las drogas, ya decidíamos si ser útiles a la sociedad o simplemente convertirnos en buenas para nada. Estoy convencida que Dios no permitió que ninguna tentación de alguna índole nos alcanzara., así nos amenazaran o nos insultaran.

Los primeros meses metida en una chabola o choza, vendiendo alucinógenos no fue nada fácil para mí, ya que era una niña muy pequeña sin experiencia de nada y expuesta nuevamente al sufrimiento y el dolor, como si ya no fuera bastante en compañía de mis hermanos, desde intolerancia, maltrato, agresiones, violencia, abusos de todo, paso de ser drogodependiente para convertirme en coa dicta en contra de mi propia voluntad.

La primera vez que me enviaron como mula fue justo a los 9 años y, a pesar de todo, de no tener buena dormida o un alimento nunca me rendí con mis estudios, como fuera llegaba a mi escuela, que se llamaba San Pedro y San Pablo en Dosquebradas, ubicada en el barrio Los Naranjos, mis recuerdos y mis memorias más valiosas, la profesora de mi hermana mayor era un amor, conocía a mis padres desde siempre, vivía en el mismo barrio y nos quería mucho. Éramos buenas niñas de confianza, por eso nos entraba a su gran casa hermosa llena de lujos, todos los miércoles y viernes, y nos daba el almuerzo ¡bastante y muy rico! Cómo no mencionarla Asenét si era digna de admirar, una gran bendición para las niñas Rendones y para muchos un gran ser humano, a si nos decían de cariño.

Recuerdo un programa que hacia mi escuela en ese tiempo llamado *"Que no falte un plato en tu mesa"*; el niño con más "modito" invitaba al compañero que deseaba a almorzar en su casa después de terminada la jornada escolar. De esa forma daban por hecho que ningún niño se quedaba sin almorzar. Muchas hambres calmadas y agradecimientos por tan lindo proyecto.

En estas, apárese la familia de papá que vivía en Cali y vinieron a vivir aquí mismo. Su sobrina vino con sus 3 hijos, y uno de ellos un "monito" todo lindo y eso fue como amor a primera vista, los dos nos enamoramos, a mí me daba mucha pena de que el me viera haciendo eso que el Malo me obligaba, igual yo solo tenía 9 años y no podía hacer nada más que caso para que ese salvaje no me castigara.

El niño, con susto o miedo del Malo, me dijo yo voy hablar con él a ver si nos da permiso de ser novios, ¡yo tenía más miedo! igual vivíamos en San Diego y a mí me tenía en el Primero de Agosto en un rancho y "mi mono" vivía en el Primero, así que me daba igual si no nos daba permiso o no el niño muy lindo y valiente le habló y le dijo que necesita decirle algo, que estaba muy enamorado de mí y que nos queríamos mucho, pensé, de todo menos que el niño tuviera tantos pantalones de decirle. Pero a él Malo le dio lo mismo, al poco tiempo me echó de su casa.

La primera vez me fui donde mi tía Fabiola junto a mi hermana Ángela. Yo Estaba totalmente contamina por el humo de las sustancias y los malos olores que me intoxicaban cada segundo mi mente, mi cabeza, mi cerebro y todo mi pequeño cuerpo indefenso, ante tanta brutalidad, daños irreparables; empezaron hacer efecto en mí los dolores de cabeza y malestar general eran muy fuertes, insoportables con mala situación de trasnocho por la desesperación, ya no solo del miedo a la policía, sino de los abusos en general, ya que después que estas personas consumían, la reacción era simplemente aterradora estaba tranquila donde mi tía como había tanto trabajo yo ayudaba y ella me premiaba adivinen con que o como, jaja el Malo me echo de su casa pero igual tenía que venderle en la calle su porquería.

Empecé o aprendí a dejar un poco la rabia, la furia por todo lo que me obligaba hacer el Malo, y como buen dicho colombiano "cuando no puedes con el enemigo, únete a él", pues recordando cosas de mi abuela Nohemí así lo hice, empecé hacer amistad con todos en general, igual, para mi todos somos iguales independientemente de raza, color, o religión. Siempre desde muy pequeña supe que la humildad y el gran valor de un ser humano es tratar con amor y respeto a las demás personas. Para mí era fundamental para recibir lo mismo, bueno, con la aclaración de respetar no sólo a la gente sino a todos. Ser viviente para mí era un honor, era muy duro porque ellos tenían su agravante y bastante delicado que ellos estaban totalmente enfermos, y consumidos he indefensos por las drogas.

Poco a poco, con paciencia, cariño, y respeto a cada uno le delegaba confianza para que me colaboraran aun sabiendo que si me fallaban yo era la perjudicada, el Malo me castigaba sin comida fuertemente, pero la verdad era que estaba agotada, todo el día estudiaba y en la noche trabajaba, si es que a eso se le llama trabajo, por más ilegal que fuera, daba muy buen resultado y el dinero llegaba como huracán y eso era lo que al Malo lo crecía, tanto así que le pagaban para hacer caletas Asus patrones no sé cuántas cosas más se llenaba de poder cuando allanaban su casa y la policía no encontraba nada, eso le daba poder para menospreciar y dañar a los demás haciéndolos sentir como excrementos, no sé qué clase de elemento era, pero la verdad me guardo mi valiosa opinión, sin duda gastaría mis palabras y esfuerzos, sin ninguna necesidad. Me reservo mi indignación hacia él.

Así sucesivamente transcurrió el tiempo, sin mucho avance para mí. ¡Ah, pero eso sí... los bolsillos y la economía del Malo abundaban!, mientras yo cada día más triste, decepcionada y abusada por esta familia, sin valor. Creo que ya son 13 años de mi vida, y por falta de sueño y descanso no rindo en el colegio, no me daba margen para cumplir con mis tareas. Cada día me obligaba a estar más tiempo en ese sitio, ya no me dejó volver al colegio, estaba cursando tercero de bachillerato en el colegio Pablo Sexto con mi profesora Aura y me retiró él mismo, del colegio, a raíz que mi tía Fabiola muere, el regresó por mí y yo de tonta vuelvo con ellos, Como ya no ocupaba tiempo en el colegio, me encargó todo el aseo de la casa y la responsabilidad de sus cuatro hijos, además de planchar toda la noche del viernes los tres costales de ropa que lavaba en ese entonces, Merche tiempo después era su sobrina la mamá de mi Mono, en la casa del rico Malo Seguía vendiendo, pero en su casa y también todas las labores de casa tenía la responsabilidad de todo sin excepción, ellos sus hijos ya eran un poco grandes. Empezaron a ver niñas lindas, la hija de él se enamoró muy pronto, y el trato para mí era "la beata" ya que era la mayor y siempre fui muy centrada, seria y responsable. Tenía respeto a los hombres, ya que pasé muchos miedos y temores, simplemente ignoraba detalles cumplidos.

Con la ira y el dolor de que me retiró del colegio, por no pagarme la mensualidad, pues yo también me revelé y me matriculé en La Cruz Roja e hice todos los cursos que pude durante un año, como eran baratos y yo me los podía pagar con las limosnas que me daba el Malo por vender sus porquerías, pues me alcanzaba para esto.

Andrés en la yama, mi paseo favorito.

Andrés y Lina, posando en ropa de baño.

Milena Rendón, mi hermanita, actos de graduación de la primaria.

Capítulo 4 – Fuerza

Aprendí sobre Peluquería y disfrutaba de hacer todos los cortes y me deleitaba con todos los clientes haciendo diferentes cortes le cortaba el cabello a toda la familia a los clientes disfrutaba compraba cuchillas jabones cepillos crema dental cosas de aseo calcetines y los dejaba bañar a todos en el rancho viejo para cortarles el cabello y ponía a los habitantes de calle todos lindos y limpios. Salía de la cruz roja y me quedaba haciendo obras de caridad con todos los enfermos de drogas les cortaba las unas las barbas chiveras y les hacía comida en ese rancho verlos llenos y limpios me llenaba el corazón yo ya no les vendía ninguna cochinada, ellos muy agradecidos me decían madrecita no por ser drogodependientes son malos ellos son buenos seres humanos dignos de respeto en ese entorno hay de todo buenos malos preparados con carreras y buenos estudios ricos pobres, las drogas no tienen un prototipo de persona para consumirla simplemente todos somos vulnerables frente a estas sustancias. Bueno sigo contando también aprendí Repostería y me especialicé en panadería haciendo unas tremendas tortas riquísimas y deliciosas; de ese curso hicieron un concurso con todos los estudiantes y yo me apunté para participar con una súper torta que hice de payaso con las patas colgando de 4 kilos inmensa, aprovechando que era el cumpleaños del pequeño de la casa, ¿y cuál fue la sorpresa? que teníamos que hacer la exposición el día de la graduación. Fue así que me compré un vestido hermoso blanco, ancho, cortico y con un chaleco, ¡quedé muy bella!, sin duda mi trabajo era el mejor fue por subasta y me gané el mejor premio 110 mil pesos, mucho más de lo que ese ladrón le dio a papá por la casa, pero me di el gusto de rechazar la oferta delante de ellos, porque no me importaba ese dinero, lo que yo deseaba era aprender y lo logré. Llegamos a casa y le celebré el cumpleaños a Nene, la felicidad de ese niño no tenía precio para mí, paso súper feliz le decoré todo y le hice muchas fotos yo amaba mucho a mis primos no tienen la culpa de nada de lo que ha hecho el Malo de su padre.

Yo tenía un compañero de estudio de uno de esos cursos, llamado Ricardo, ambos nos inscribimos en la Fiesta de la Cosecha. Yo con 15 años representando mi linda Pereira y bailamos para toda la ciudad el San Juanero, un baile típico de mi hermosa tierra, delante de muchísima gente. Me sentía muy feliz luciendo mi traje. Por otra parte, el Malo estaba enojado porque yo no quería hacer más eso de vender en la calle "sus cochinadas", me iba para La Cruz Roja ha aprender, eso no tenía precio para mí, bien o mal los niños eran como mis hermanos de toda la vida, yo los quería, aunque me dijeran "beata y arrimada" y lo que se les ocurriera me tenía sin cuidado. En mi cabecita, yo sabía que si no le trabajaba más al Malo él no iba a tener más dinero, así que me tenían que llevar por las buenas, pues si no llamaba a la policía y yo misma se lo entregaba por abusivo y descarado, con eso me lo quitaba del paso.

Les cuento, que aprendí hacer unos cuadros hermosísimos, bodegones de frutas y cuadros de alto relieve, tercera dimensión, a manejar marcos de madera, aluminio, esqueleto, bueno, de todo. Me fui a la papelería mundial de Pereira y compré dos vitelas con la imagen de una niña y un niño, pelo sintético, "monito" y otro negro para mí; también compré escarcha, colbón, plastilina, barrilla de aluminio amarilla y todo lo necesario para hacer mi trabajo. ¡Y adivinen! hice ese cuadro y me quedo bellísimo le puse el nombre de "Mi Mono y Yo", adornaba el centro del salón. Por otro lado, hice un cuadro inmenso para el comedor de esa casa; medía 2 metros de largo por x 90 de ancho aproximadamente, grande y lindo como la torta que hice.

Yo estaba feliz con todas mis manualidades; decoré toda esa casa, pues también tomé el curso de Cerámica con figuras de yeso en el horno. Eso no era cualquier cosa, es de profesionales porque yo misma hacia todo para mis cuadros. Para pintar cerámica utilizaba vinilos finos elegantes de porcelana, perlados pintaba de todo, desde personajes de cómicas como Pucas o Ton y Jerry, el chavo del 8 también novios, hueveras, cofres, bueno... de todo lo que me pedían; por otro lado, hacia tarjetas de bodas, cumpleaños y cualquier evento en pergamino con diferentes modelos según figuras y tamaños, ¡que bendición, tan enorme potencial que Dios me ha dado!

Cada día me preparo más y aprendo sin frenar. Además de lo anterior, también aprendí todo sobre el arte de la Gastronomía.

Es por eso, que hacía todos los platos especiales para las fiestas, entre la que recuerdo la de frutas y verduras trenzadas con brillos.

Pero para poder pagar mis cursos y comprar los materiales, me obligaban a meterme debajo de la cama para sacar los zapatos de los hijos del Malo, porque yo era "la arrimada" y siempre me lo decían para que nunca se me olvidara. De algún modo, tenía que pagar como quien dice "lo comido por lo servido", eso era muy fuerte para una adolescente tan joven. Un día me revelé y no le quise, mejor dicho, no medio la gana de hacer caso, pensaba ¿por qué tenía que hacerle todo a esos muchachos?, ¡ah! y de paso tenía que traer dinero a la casa, explotándome. Él se enojó mucho y me fue a pegar, pero lo detuve cuando le dije "usted me toca y se va a la cárcel... porque ahora mismo llamo a la policía y llegan en segundos, usted verá". Con la mima cogió y me echó de su casa como si yo fuera un animal.

Inhumano y despiadado, no le importó que era de noche y hacía mucho frio.

No tuve otra opción que coger mis pertenencias y salir a la deriva. Esa noche, el señor "Dorado", quien le vendía la droga a el Malo, quiso abusar de mí. Me tiró de mala manera a su coche y me llevó muy lejos a un sitio solitario; me encerró donde pudiese abusar de mí y hacer sus fechorías. Yo muerta de miedo y pegada de la mano de Dios, sin perder mi fe en el Señor de los Milagros de Buga, recé hasta lo que no sabía y luché con ese monstruo hasta más no poder. Él es un hombre grande y súper fuerte, no sé de dónde saqué tantas fuerzas para luchar sin perder la energía. El sufrimiento era interminable y doloroso, lo único que sé es que salí triunfante. El tipo quedó arranado, mordido, pateado, cansado y sudado, lo recuerdo como si hubiese sido hoy que me dijo "¡chiquitica hija de puta!

¿cómo no fui capaz de comérmela?" yo sólo lloraba y recargaba más fuerzas, por si en ese momento lo intentaba nuevamente, pero no logró abusar de mí; conforme me daba un golpe y me quitaba el botón de mi pantalón, Dios estaba conmigo, no sé cómo, pero me lo abotonaba de nuevo, igual con estas lacras todo es igual.

Ya cansada de estar arrimada en casa del Malo, le pedí a mi tía Lucita que me dejara vivir en su casa, y ella humildemente me aceptó diciéndome "si mija, véngase para acá, así sea aguantar hambre con nosotros, no se deje de esa porquería de viejo; durante toda la vida han abusado de ustedes como han querido, sin defensa de nadie, por culpa de su mamá haberlas dejado como un pedazo de arepa o pan viejo; usted sabe que yo las quiero mucho", así que yo le contesté "muchas gracias, mi tía bella, te amo", te cuento que ella es así desde que yo la conozco, es compartida y muy servicial.

Recuerdo que, aun viviendo con mis padres, ellos nos llevaban de paseo hacia donde vivía mi tío Patillas, quien me llevaba en su bicicleta todo el tiempo, me amarraba una almohadita para sentarme y yo muy feliz y segura con él. Siempre decía que yo era su sobrina preferida, aunque nos amaba a todas, pero decía que yo era "su ojito derecho". Fueron pocos los momentos que viví con ellos, pero fueron intensos. Yo a mi familia materna la amo con locura. Es tanto mi amor y gratitud con todos ellos que, algún día, no muy lejano les devolveré todo con abundancia infinita.

Mi tío Patillas es casado y tiene tres hijos, una excelente mujer, muy bella, dulce y caritativa. Mis tías y mi abuelita la quieren mucho, ama a mi tío y lo atiende muy bien, ya saben que es difícil que una suegra quiera a sus nueras, pero las dos tienen esa gran suerte, tanto la nuera como la suegra. Me da risa porque a los niños de mi tío Patillas les tienen sobrenombres: "Mono" por ser clarito, de cabello como su padre y ser "monito"; los otros le dicen Ñoño por ser el más comelón y ser el gordito; y a la niña "Gata" porque heredó lo más hermoso de mi abuelita: sus lindos ojos zarcos. Mi abuela de cada hijo tenía su "ojito derecho" y entre ellos "Gata" es la preferida de mi abuela por parte de Patillas, de Lucita es "Yami" y de mi madre

"yo", les cuento pasó el tiempo y a mi tío patillas triste mente lo matan en 1.986, los conflictos armados se tomaron los pueblos de Trujillo y Rio frio los etc. Masacraron y los torturaron fue una muerte horrible junto con él mataron 48 personas incluidos los dos curas del pueblo. Dios los tenga en su santa gloria, sufrimos mucho por todo lo sucedido todos se vinieron de ese pueblo y nunca más regresaron dejando a todas las familias destrozadas.

Bueno les sigo contando; no solo mi tía Lucita con sus hijos, sino que también estaba con su hermana

84

pequeña Yadira, a parte vivían 5 hombres familia de sus compadres de Trujillo valle el viejo "Guapo", el coqueto y enamorado "Liceo", seguía "Rubencho", un chico des complicado, re cochero y a veces de mala clase (grosero), estaba "Pedrín" que era novio de mi tía Yadira y "Raulito," un noviecito de Milena (a mí también me gustaba un poquito, pero ni modo, mi hermana era tan bella como yo), y, por último, francisco el más niño, casi de nuestra misma edad.

Se imaginan ¡que gentío tan tremendo!... los pequeños chillaban y nos hacían llorar, todo era recocha, juegos, risas, le agregamos el genio, las iras y el desenfreno de todos. Así es el ser humano con su temperamento, cuando la gota llena el vaso de todos. Y ¡que desmadre!, comida para todo ese "batallón".

Normalmente estábamos todos juntos los fines de semana, todos trabajaban, ayudaban con la comida y le pagaban a Lucita por lavar y planchar sus ropas.

Mientras estuve en su casa, en eso fue lo que más le ayudé, nos las pasábamos días enteros lavando, era demasiado trabajo para ella, a veces se nos quedaba la ropa amontonada porque no teníamos dinero para comprar ni el jabón.

Eso es otra cosa, en mi familia materna solo hay mujeres, abundamos como la espuma.

Que orgullo ser la creación divina de Dios, reinamos las damas por donde sea, "revolución femenina", ¡que felicidad y que orgullo! ella era así de "buenaza", me aseguraba que ella aguantaba todo por sus muchachos. En una conversación larga, recuerdo estas palabras: "sólo sé que hay un Dios que todo lo ve, y lo puede, él lo sabe todo y seguro en algún momento esta mala situación terminará... ¡Tiene que acabar! nosotras merecemos vivir sin violencia, ni abusos, y seremos todos felices, viviremos en paz y abundancia de amor; sufro con ellos, pero no los abandono, mis muchachos son todo para mí. Además, yo sé que ese tipo es capaz de lo peor (él Malo) yo sé cómo es ese hombre, también quiso hacerme lo mismo cuando fuimos novios en mi juventud". En ese momento, entendí que no había nadie mejor que ella para entender por todo lo que yo había pasado con ese sujeto.

Como les conté, mi tía Yadira, la hermana más pequeña de mi mamá, vivía con ella a raíz que mi abuela Nohemí falleció y mi mamá nos abandonó. La situación de mi tía Lucita era muy difícil con 5 hijos pequeños, y sin oportunidad de educarlos, porque a duras penas se preparaba una menudencia de pollo que, por cierto, nos llenaba de energía y nos sabia a la "Gloria de Dios", ¡que bendición ese caldo en nuestro plato!, era como un manjar blanco que la gente de más recursos económico lograba hacer para Navidad, también nos preparaba algún sudadito los fines de semana. Cuando su esposo cobraba su sueldo, según él solo se comía bien un solo día, y eso era cada 8 días, luego debíamos ser como serpientes que invernamos para el resto del año. Para mí era todo igual, yo el hambre lo conocí como la palma de mi mano, así que no era una sorpresa. Y ahora a cargo de mí y de su hermana pequeña, bastante duró el esposo de ella que trabajaba en el campo, en las fincas de Santuario, pues ya se imaginarán que ni desayunábamos ni almorzábamos, y así era cada día.

También mi tía Yadira y yo trabajábamos en guarderías, panaderías, o cafeterías. Trabajé en una la capilla, y ahí me salió un pretendiente, yo con 15 años y él con 65, muy mayor, su nombre era Don Eduardo. Decía que si yo "lo aceptaba" me entregaría todo, y por supuesto, yo que tenía otros modales, pensaba que si me regalaba era cosa de él, yo nunca le pedí ni le insinué absolutamente nada. El caso es que, ese señor, decía que él pudo sentir que yo era como su imán lleno de energía y que le traía mucha suerte. Eso mismo decía el Malo, es decir, que no era ni cariño ni amor, lo que él sentía por mí, era puro cuento barato, oportunista por su propio bienestar.

Era dueño de todas las carnicerías, maneja ganado y dinero. Por un tiempo, me tomó como su talismán en las partidas de galleras; apostaba lo que fuera por mí, ¡y ganaba! Don Eduardo me invitaba para todos sus eventos, y yo le decía que sí, ahora me da rabia, pero le ponía la condición de ir con mis hermanas o a mis primas: Nena, Sandra y Alejita, o mi mamá que vivía tres casas después que la suya. El hombre lo hacía con tal de verme a su lado; así, nos llevaba a todas en su coche, según él para que le diéramos suerte, se portaba muy bien con toda mi familia como una forma de enamorarme.

A las que vivían cerca de mí, a todos les enviaba carne para toda la semana con sus empleados, y a mí me compraba de todo. Un día de tantos, ganó una partida millonaria, en ese momento yo estaba con mis primas grandes "porque yo era muy niña" y el señor pidió champagne para brindar. Se estaba enojando muchísimo porque yo no le acepté nada para brindar, eso es licor y no me gustaba, pero a mis primas les encantaba y él muy amplio les llenaba la mesa con de todo lo que ellas pedían: comida, refrescos, licores y hasta cigarrillos les traían; eso era otra cosa, como sabía que mi mamá fumaba, le manda el cartón para toda la semana. Yo me siento bien, por verlo feliz, me daba besos en la cara y me daba mil gracias.

Pasaron 5 meses, y Don Eduardo la embarró muy feo conmigo; según dice que estaba muy enamorado de mí, pero yo ni un besito. Así que, al día siguiente de esa celebración, me cogió con fuerza y me dio un beso en la boca frente al portón de la casa de mi tía. Yo me enojé mucho con él, le dije que era un descarado, de todo, pero sin groserías, decentemente, y no le hablé por toda esa semana.

A la semana siguiente, me habló y me dijo que fuera a la carnicería para que llevara unas cosas. Como les dije, su negocio estaba justo al frente de la casa de mi tía, y yo muy boba e inocente como tonta, sabiendo todo el peligro que he vivido, estoy parada afuera del mostrador hablando con su empleado y él entró para su casa con el fin de sacar lo que me iba a entregar y yo de ilusa esperando, cuando de un momento a otro la reja de ese local comienza a bajarse, pues era automática y Don Eduardo la maneja con mandos, y veo que le hace señas al empleado, pero yo que no soy dormida, por el contrario, soy pilosa y avispada (pero hasta el más inteligente le pasan las cosas) la señal era que activara el mando y cuando me di cuenta que la reja se iba cerrando, me tiré al piso y rodé. Salí como flash, por un espacio mínimo, antes de que se cerrarse totalmente.

Gracias a Dios, por segunda vez, me salvé de otro pervertido miserable que creen que por tener dinero pueden hacer "lo que les venga en gana". Miren, santo remedio, desde entonces, no confío ni en mi sobra, porque también me abandona. El inhumano saca sus espuelas tarde o temprano, y eso fue lo que le pasó a Don Eduardo, las sacó a relucir haciéndome daño, ¡que susto! y que pasado es ese hombre, el más adinerado que he visto, me sentía acosada de tantos regalos, pero no sabía que yo jamás he sido interesada.

Con tan mala suerte, que a mi pobre tía Lucita su marido la violentaba cada vez que le daba la gana. Su hermana Yadira siempre la defendía, tanto así, que le quedó una cicatriz de un cuchillo que le clavó su cuñado. Ya éramos dos fieras para proteger a mi tía de ese animal, y no sólo a ella, sino a sus hijas, pues ese hombre que era un salvaje hasta con sus propias hijas, como si eran unos enemigos, peor que mi madre a nosotros.

No termino de entender por qué tanta crueldad con los niños, si igual los que maltratan en algún momento fueron unos bebés indefensos y desprotegidos, acompañados por una madre llena de miedo, sin coraje de defender a sus crías, y es seguro que, jamás en la vida, voy a aceptar como ese hombre le daba con puños en la boca en sus caritas, tanto que las reventaba todas, y con la hebilla de la correa les rompía las piernas, ¡Dios mío, nadie se salva de tanta violencia! Ante este mundo tan cruel, la raza inhumana es la peor "lacra" del universo, como lo somos todos.

En ese tiempo, conocí el esposo que Dios me concedió, fuimos novios durante dos años y decidió irse a prestar servicio militar; quedé triste y mi tía Yadira y yo decidimos marcharnos a la capital a trabajar de camareras en un restaurante en La Línea, se llamaba Patio Bonito. Ahí estuvimos casi un año. La señora del restaurante se llamaba Marlene, quien nos tenía cariño por lo trabajadoras que éramos. Ella tenía varios hijos, pero sólo conocimos tres, dos niñas y el niño que su nombre era Alde. Él no estaba por la labor de enamorarnos, solo nos molestaba y nos hacía bromas, a veces bien otras no tan buenas, pero bueno, había que llevar la fiesta en paz ya que vivíamos donde trabajábamos.

Él gustaba de mi tía, pero ella tenía novio, a mí me parece muy guapo, pero nada más igual por ser hijo de la señora de la casa, era muy "crecidito e inmaduro". Nos decía que mi tía y yo éramos lesbianas porque no le dábamos un beso. Yo más atrevida, para callarle la boca, lo besé, ¡y santo remedio!, entendió que nos gustan los chicos. ¡Que niño tan pesado! El restaurante cerró y regresamos después de un largo año junto con mi tía Lucita para poder ayudarla, ya que ella acababa de salir de una parálisis porque dio a luz a su hija pequeña y la anestesia hizo estragos en su columna, dejándola muy delicada. Entre mi tía Yadira y yo la cuidamos como nuestra niña bonita y la atendíamos en la cama, ella quedó como bebé.

Con mucho cuidado, cariño, amor y mucho más, Se recuperó. Poco a poco, cada día. estaba más fuerte y de mente lúcida; así que hicimos muy buen trabajo con la reina de la casa. Amo a mis tías con locura de la buena, cada rato me daba golpes con el marido de ella, y las amantes de él, porque insultaban y agredían a mi tía Lucita sin pedirles ni deberles, solo digo ni ella ni nadie debe ser violentado por ningún motivo, yo por mi lado las defiendo a capa y espada sin pensarlo ni un segundo.

Después de todo esto, mi tía Yadira mi mami porque, era como mi mamá trabajaba y me daba lo que yo necesitaba y también me pegaba unos buenos regaños me sacudía y me decía que si ella volvía a ver que yo guardaba la ropa húmeda me hacía pasar vergüenza, y no me quedo de otra más que hacerle caso, la amo ella no me desamparaba vivíamos en su trabajo, pasa el tiempo y mi tía forma su hogar tiene sus hijas la mayor tiene los ojos zarcos de mi abuelita Nohemí, es una niña centrada y juiciosa. y la pequeña tiene el mismo cabello de mi abuela rizado bello, así son los genes por donde sea se manifiestan cada una en su propia esencia, nos parecemos a la familia. les cuento mi tía ha pasado tan duro como todas nosotros pero algo si les digo es una mujer verraca que ha superado muchas cosas y a nivel de salud ni contar, es una gran valiente, tanto es así que la vemos súper activa y trabajadora y parece un milagro de Dios verla con tanta vitalidad, Ella es un ejemplo de vida puro y duro, una mujer con un gran corazón súper noble es más buena que el pan esta para todos sin condiciones es única y maravillosa y ella sabe que Yo estoy para lo que sea así como ella conmigo la amo, es lo mejor y más lindo que me ha dejado mi abuela, mis tías.

Yo estoy muy tranquila lejos del Malo, del vicio y de todo lo asqueroso que me rodea Mi hermanita

Ángela seguía con la familia de mi tía Fabiola y allí pasan mal económicamente, eso sí abunda el trabajo era muy humilde y tenía bastantes hijos. Todo era más difícil, pero más tranquilo allá, porque no había malos hábitos, pobres pero contentos. Recuerdo que mi tía Fabiola era de una religión en la cual daban diezmos y alababan a Dios todos los sábados. era algo lindo compartir libremente con mis primos, desde ese momento nunca he olvidado el Salmo 91, desde que lo aprendí, lo llevo a cabo como crecimiento personal y creencia en nuestro Padre Santo. Soy fiel al amor de Dios, sé que existe y que siempre está conmigo. Recuerdo que mi tía Fabiola me premió por ser buena cooperante y trabajadora, así que me dejaba hablar con Mi Mono en el patio frente a la casa, en una piedra gigante. Era una visita formal, decente, romántica y de mucho respeto, ya que él es único chico que me ha gustado desde pequeña.

Yadira, Lina y Milena

3 hermosas niñas; Yadira, Lina Y Angela.

Capítulo 5 – Resiliencia

EL tiempo que viví con mi tía Fabiola era tranquilo fuera de cosas toxicas, el Malo volvió por mí, con el cuento que él era el que me había criado y tenía que seguir criándome, ya que la tía Fabiola enfermó y murió, dejándonos a todos devastados, tristes e indefensos. Así paso el tiempo, "Mi Mono" se lo llevaron a Cali a estudiar, y mi corazón quedó súper vacío y triste, pues era el único niño que me quería y también me lo quitaron.

Solamente había comunicación cada 8 o 15 días. Me tocaba escaparme del "Malo" para ir a recibir la llamada de mi amor que viajaba a Pereira o a un barrio de clase media, donde trabajaba su abuela, Mi tía mayor hermana de papá y trabajaba en Santa Isabel. Su jefa o patrona le daba permiso para hablar y yo pagaba las llamadas. Esa alegría mía cuando lograba escucharlo era única. Así pasaron de 6 a 8 veces y nunca más supe de él.

Mi vida sigue igual, al son que el tío toque. Tan joven y con tantas malas experiencias en mi espalda, humillaciones, marginada, ultrajada... me decía "ladrona cuartera", porque supuestamente yo le hacia el favor a su mujer para que entrara amantes a su casa, lo mismo le decía a su hermana

Merche, le restregaba el refrán que dice "cría cuervos y te sacaran los ojos", pues según ellos eran las mejores personas del mundo, y todos nosotros éramos unos desagradecidos,

Mi mente no entendía por qué ese tipo Malo no buscaba a alguien de su misma calaña para que lo mantenga sentado como un rey, pero no, vivía a costillas mías. El Malo ese tenía 3 casas, 2 que compró a costa de lo ilícito y la que descaradamente le quitó a mi papá; además tenía un taxi de servicio público, 3 motos, dinero en el banco y todo lo que quisieran paseos bicicletas alhajas derrochones y extravagantes.

La verdad yo estaba muy cansada por culpa de éste "elemento". Cada día era peor, yo no sabía que era más peligroso, si el remedio o la enfermedad, y una vez más, me hecho de su casa, debido a que ese día no pude venderle toda su porquería. Me acusaba de que yo vendía por mi propia cuenta para no vender lo de él, así que, sin dudarlo, me volvió a echar.

No tuve más opción que salir, una vez más, con mi ropita sin rumbo fijo. Pasé una dura y larga noche en la calle, al amparo del frío, el peligro, y mil cosas más. Estaba atenta a cualquier cosa que se podía presentar, no dormía, me quedé vagando por las calles del Crucero, en Dosquebradas, sin rumbo, ni miedo sentía. Como les cuento, muy triste caminaba, y me sentada un rato con el frio que estremecía todos mis huesos, fue una noche interminable, dormir en la calle y peor aún recordar que mi pobre hermanita Ángela ella se fue a una finca a trabajar y coger café como les cuento es una niña muy guapa y la recoleta le rinde mucho, pero el agregado no le pagaba lo que la niña ganaba solo por la comida y la dormida, un día se cansó del descarado ese y es ahí donde se encuentra sin techo, le robaron el sueldo de su trabajo por un año. Después que murió mi tía Fabiola le tocó dormir varias veces en la calle, en una caja de cartón, desamparada a la merced de tanta maldad, es algo que no se lo deseo a nadie. Dios mío, no puedo, ni podré, entender tanta injusticia

Sólo pensaba en mi hermanita Ángela. Y en todo lo que tuvo que pasar, Ella se enamoró muy joven y formó su hogar, era una niña súper bella y muy trabajadora, humilde y noble como mi papá, ella vivía bien y tranquila, con su esposo y muy pronto tuvo su bebé los dos trabajaban y Vivian bien, muy re cocheros se querían mucho eran felices.

Bueno sigo contando; Al día siguiente de yo amanecer en la calle me encuentro con la suegra y el cuñado del Malo llamado Alfredo, ese muchacho siempre me pretendía, ¡por ese motivo no salía de esa casa disque enamorado de mí ¿cómo lo ven?, eso era lo que me decía y les decía a ellos a su cuñado y a su hermana la mujer del Malo

Alfredo es un chico un tanto especial, y tenía su gracia "guapito", muy detallista y un poco tímido, caballero y muy respetuoso. Yo una jovencita linda y seriecita, y como que encajábamos "un pelín", así que poco a poco se estaba ganando mi atención. Al verme en la calle, me preguntaron qué había pasado, les conté la verdad, para mí fue como escapar del demonio, de momento, una buena solución, Muy lindos, me ofrecieron ir a vivir en su casa para no estar en la calle, me fui con ellos, y desde allí me uní a Alfredo.

Pasaron 8 meses y me quedé embarazada de mi primogénita tengo mi niña y rápidamente pasan 13 meses y este chico no mostraba ánimos de nada, y nuevamente yo estaba embarazada de 4 meses. Hoy en día tengo dos hermosuras que me enseñaron a ser madre y a no parar de luchar por nada, son fruto de la unión entre Alfredo y yo durante el tiempo que vivimos juntos. Mi primogénita Kellyto es sin duda mi más grande y bella bendición, la recibo con todo mi amor sabiendo que esa bebé sería mi motor principal para la lucha diaria.

No les miento, las cosas no funcionaron como yo hubiese deseado. El papá de mis niñas y el Malo llegaron hacer "uña y carne", nada bueno, dice un refrán muy popular en mi país "Dios los cría y ellos se juntan". En ese entonces, Alfredo dejó ver lo que era realmente, demasiado inestable, trabajaba más una pala empeñada que él, un día si un día no, y lo peor es que le tenía manía al día lunes, decía que era el día de los zapateros.

Vivíamos con su familia y siempre eran peleas y discusiones con ellos por todo, porque él no trabajaba como debía de ser. Un hombre responde por su hogar y por eso yo tuve que volver a lo mismo, ya que Alfredo no se ocupaba de nada ni de nadie, ni siquiera con el cuidado de la niña.

Cuando Kellyto cumplió 13 meses de nacida, me encuentro nuevamente embarazada. No fue gracioso, ahora debía prepararme para vivir con dos niñas, mientras por otro lado mi hermanita fue feliz, hasta que la envidia de seres inhumanos se hizo presente y la maldad fue tan grande que ocasionó graves estragos casi de inmediato en su cuerpo y sin cura mi hermana por su grave enfermedad me obligaba a salir adelante como fuera acabando muy rápido con su corta vida, y quedando su niña muy enfermita ya que mi hermanita amamantaba la bebé, una tremenda pérdida, así me toca despedirme de todos los que más amo, imaginasen de luto embarazada y con 2 niñas para seguir luchando y empezar un duro tratamiento con mi sobrina pero bueno, la vida debe de seguir como sea, con altibajos
.

Ese 19 de abril de 1997 fue el peor día de mi vida, claro, después de la perdida de mi abuelita. Yo estaba embarazada y tenía que salir adelante si o si, aún con el alma destrozada. Ahora tenía que continuar mi vida con la falta de mi hermana, pues ese día ella murió con apenas 19 años, dejando a su bebé que tenía apenas dos añitos de vida, así que sin dudarlo decidí hacerme cargo de la niña Mane y para delante, bendecida por Dios, me encontraba con la niña de mi hermana. mi hijita Kellyto de un año, y yo con 4 meses de gestación.

Habían pasado 17 meses de mi unión con Alfredo y me enteré por mi prima Lucia, que él me era infiel con la tía de mi sobrina, una chica que vivió en mi casa cuando todos le dieron la espalda, hasta yo la defendía de todos. Esa fue la gota que rebosó el vaso. Así que lo dejé, sin importar que tenía casi 4 meses de embarazo y afrontando la vida sola, trabajando en la calle y sobreviviendo con mis dos hijas y la que venía en camino.

En esos días hubo un sin fin de situaciones difíciles, tanto familiares como laborales y de salud, algo así como el dicho *"al caído cáele muy fuerte, pero con fe"*. Ya tenía casi 8 meses yo iba a cumplir 5 meses de separada Alfredo, cuando quería y podía, me ayudaba, en esos días estaba trabajando construcción y ocurrió un fuerte temblor de tierra que sacudió a Colombia y lo dejó casi sepultado. Gracias a la eficiencia de sus compañeros de trabajo lograron socorrerle y salió ileso. Recibo la noticia de lo que pasó y fue un tremendo susto para mí y mi avanzado estado.

Sigo adelante a pesar de toda la situación. Estoy avanzado en mi embarazo, Mane en el hogar infantil, Kellyto en el lavadero bañándola en un súper tanque, y la poca experiencia de tener tanta responsabilidad. Tocan la puerta nuevamente, otra noticia devastadora, era el abogado Manuel notificando que mi hermano ha sido condenado, no recuerdo por cuanto tiempo, lo único que recuerdo en ese justo momento era que tenía a mi niña en el lavadero. Le pido disculpa al visitante y corro con mi

"barriguita" a buscar a mi niña, pero, ¡no la encuentro! No me explico cómo mi bebé se había bajado del lavadero, imposible, no sé por qué no pensé, corría como loca con los nervios destrozados, cuando regresé al patio logré ver a mi niña flotando encima del agua; no pensé en él bebé que tenía dentro de mí, solo pensé en salvar a mi hija, y como el tanque era muy grande, y estaba por la mitad de agua, se me dificultó sacarla, por eso me hice mucho daño en mi barriguita, en eso momento no pensé nada. Comienzo a gritar pidiendo ayuda y gracias a Dios que el abogado me recibió a la niña toda llena de agua y de popó, y nos fuimos en su coche al primer centro médico.

Recuerdo que no le importó que el consultorio estaba ocupado, lo único que sabía es que era una situación de vida o muerte, porque mi hija científicamente ya estaba muerta, pues cuando una persona se ahoga y se hace popó es la última señal, así lo explicaron los médicos; pero ellos fueron muy eficientes y reanimaron a Kellyto, respondió en sí, pero entró en coma. El diagnóstico fue grave, nos informaron que, si la niña lograba salvarse, quedaría mal, la muy guerrerita y valiente respondió favorablemente.

Cada día más creciendo siendo más fuerte y hermosa. El resultado fue que su hermana Jeimmy quien nació antes de tiempo, la recibo con traumas y llena de miedos, ya que llevo separada 5 meses y me encuentro sola en el seguro de Pio Doce con tanto contratiempo esperando dar a luz. Sin duda alguna, el mejor parto que había tenido hasta ese momento. Esperaba un niño, pero la ciencia se equivoca y fue una hermosa niña, sana, grande y fuerte.

Fue hasta el día siguiente que apareció su padre Alfredo para conocerla diciendo "Lina, ¿cómo que niña? no dijeron los médicos que era niño?, a lo que yo contesté con orgullo "miré que no, no es niño, es una hermosa y dulce niña". Él la cogió entre sus brazos, la besó y la miraba por todos lados, pues a pesar que era prematura, estaba muy saludable.

Ese día salimos del seguro juntos, porque la verdad estamos excelentemente bien, pero Alfredo volvió a lo mismo y yo apenas me recuperé, tuve que regresar a la panadería, pero había poco trabajo hacía media jornada y sin pensar volví hacer ser el títere del viejo Malo, ahora no era por la comida, ya le pedía alguna remuneración porque tenía 3 niñas y me costaba mucho sacarlas adelante. Las amo con locura.

Ya llevo separada un año y medio y me ha tocado trabajar muy duro para sacar a mis niñas adelante. En esos tiempos yo estaba súper aburrida, me encontraba hablando con mi mamá, y ella me preguntó qué yo que haría si algún día regresaba mi novio del pasado. Yo rápidamente pensé en el amor de mi vida, en "Mi Mono", y sin pensarlo le contesté me casaría con él. Ella me miró y me dijo: "no, yo no lo digo por él y le digo entonces por quién pregunto? pero ella se quedó callada, no respondió y yo tampoco le insistí, no le di importancia. Terminó invitándonos a almorzar el día sábado a la a la 1:00 pm, listo, quedamos así.

Llegó el día. Mis hijas y yo nos pusimos bellas como siempre, mis tacones y todas hermosas jajaja-, mis niñas eran las más preciosas, todas unas reinas de belleza. Nos fuimos a casa de mi mamá, como era cerca no necesitaba autobús, en 20 minutos llegábamos caminando. Estaba muy oscuro, le digo a mis niñas "tenemos que irnos rapidito porque parece que va a llover y en de un momento a otro cae un aguacero horrible".

Por casualidad me encuentro a Yulita, mi ex novio del pasado. Él es del pueblo donde vivían mis tías y mi madre. Que susto y que alegría, yo no lo podía creer, ¡cómo es el mundo de pequeño!, encontrarnos así, que raro, pero bueno, como estaba lloviendo horrible, nos encontrábamos los 5 debajo de un puente, mientras esperábamos que escampara. En ese tiempo conversamos un poco y él me preguntó si yo había sido feliz, me pidió que lo mirara a los ojos como en los viejos tiempo. Medio risa, y moví mis ojos, lo miré avergonzada, con pena de encontrarnos así mojadas; y le contesté "no, la verdad no". Me preguntó por qué y yo le expliqué que tuve una relación
"maluquita" con el padre de mis hijas, que me había separado hace casi dos años y todo lo llevaba sola.

Quise despedirme de Yulita, le dije que me había alegrado verlo y saber de él, pero que me tenía que marchar ya que tenía una comida y no podía llegar tarde. Asombrado me preguntó que cómo me iba a ir si aún estaba lloviendo duro y las niñas se iban a mojar; pero también me dijo "tranquila, yo te dejo mi paraguas para que las cubra un poco". Le dije ¡no, como se le ocurre, tranquilo! Esperamos un poco más a ver si escampa, me preguntó si me faltaba mucho y le dije que no, que va igual, estamos muy cerca; y así pasó otro ratico hasta que nos despedimos.

Llegamos mojadas donde mi mamá. Yo feliz contándole que nos encontramos a Yulita, y al momento, tocan la puerta. Me pareció extraño y le pregunté a mi mamá si estaba esperando a alguien y me dijo que no, fui abrir y pregunté quién es y me dijo "la vieja Inés" y recordé de inmediato que cuando Yulita me visitaba me decía exactamente igual, lo pensé tan rápido, porque hacía nada lo había visto, y recuerdo, abro la puerta y era él. Yo estaba sorprendida, no entendía lo que pasaba, pensé que me había perseguido, pero no, yo estaba muy mal.

Mi mamá y él planearon todo para darme la sorpresa, ¡y vaya sorpresa!, muy agradable, me gustó, Yo pienso que mamá hace algo bueno para sanar lo malo del pasado.

Bueno, sigo contando almorzamos, charlamos muy rico y me contó que hacía poco había salido del ejército, que prestó el servicio en el batallón de Manizales Ayacucho y que salió con

Honores. Lo felicité y pensé que eso hablaba bien de una persona, porque salir con excelencia no era fácil, ósea que no están tan "Gamín" como decían sus colegas y parceros.

Me pareció muy gracioso, cuando me dijo que él me amaba tanto, que cuando estaba de guardia se subía al morro más alto y gritaba "¡Lina mi reina linda te amo, algún día te volveré a ver y serás mi esposa y la madre de mis hijos!" ¡Me causo risa Yo dije Que! esa bobada a mí me parecía "recocha" y mentira lo que me estaba contando, pero él insistía que no eran mentiras, era verdad, me decía

"cuando usted vea los muchachos con los que estuve pagando servicio militar les puede preguntar ellos le contaran todo lo que yo hacía por ti", me reafirmaba. También me contó que vivía con su familia en la entrada de Cuba, un barrio de Pereira, que hace años dejaron el pueblo de donde son, Estábamos felices hablando y conociendo a mis tres niñas, cogió mi bebé Jeimmy y la dejó la bebé, se veía muy amable con ellas y muy juguetón, cariñoso "re cochero", algo que lo catalogaba como "Gamín" una caspa con sus amigos (hacer bromas de risa a los demás)

Yulita era el noveno de 13 hermanos, entre hombres y mujeres, que familia más grande, muy cariñosa y humilde, él era buen chico; en fin, me preguntó si podía llamarme y le dije que sí, que no pasaba nada, igual yo estaba soltera. Después de eso nos despedimos, le envié saludos a su familia y le prometimos que pronto los visitaríamos, en fin, todo esto lo recordamos.

Apenas se fue Yulita, mi mamá estaba muy curiosa de saber que habíamos hablado y me pedía que le contara todo. Pero yo primero le pregunté cómo sabia de Yulita. Me contó que hace un tiempo lo vio en las votaciones del pueblo, la invitó a tomarse un refresco y hablaron mucho rato, él le preguntó por mí de una forma cariñosa, ¿Cómo está mi niña? Su niña se caso tiene 3 hijas, A como así, ella le explico que 2 eran mías y una niña que dejó Ángela, mi hermanita pequeña quien murió y que yo había adoptado a la bebé. Según mi mamá, no dijo nada más, pero mentira, pues ya traía hasta el número de él y la invitación "sorpresa" a almorzar bien preparada. Mi mamá me aseguró que no me había querido contar nada para que yo no me enojara, yo le dije que no tenía por qué enojarme con ella, pero que no quería imaginarme todo lo que le había contado a él.

Así regresó Yulita a nuestra vida. Poco a poco, cada 8 días nos visitaba, nos llevaba a la piscina, al cine, a restaurantes, parques, a visitar a su familia muy lindos y atentos su mamá me dijo que, si hoy en día queríamos estar juntos que le parecía bien que la disculpara porque hace años se opuso un poco al matrimonio porque éramos unos niños y que hoy en día ya somos adultos para decidir qué hacer y que decisiones tomar, Me gustó mucho su comentario muy linda y cariñosa conmigo y con mis niñas de verdad que la opinión de ella era muy importante para mí, porque cuando uno tiene hijos, solo piensa en ellos, pero lo que más me emocionaba era saber que mi novio Mi Yulita de años regreso me encontró con hijas, y no le importó nada, me decía que siempre me había amado, me acepto me ama, y ama a mis hijas las respeta ya llevamos casi tres años saliendo, como novios y siento mariposas eso enamora a cualquier chica. La verdad siempre nos quisimos mucho, pasaron 3 años de noviazgo, con muy buena acogida de parte de su familia todo era felicidad algunas peleítas chiquitas, insignificantes, con los años anteriores sumábamos seis años, ya queríamos algo más, como formar un hogar y no separarnos nunca más, y ese día por fin llego estábamos felices preparando todo muy emocionados su familia nos colaboró mucho mis suegros lindos los amo mi cuñado nos hizo tremendo regalo una tarta hermosa inmensa de grande súper rica, con todos me llevo bien, bueno seguimos que si cursillos preparativos padrinos atuendos para mis reinas, pajecitos, invitados presentes comida bebida bueno un sin fin de cosas ricas buenas y hermosas

En el año 2000 nos casamos por la iglesia católica, fue un día muy lindo una fiesta que casi no termina duro 3 días no sé de donde apareció tanta gente tan linda de verdad muy agradecidos y honrados por todo, al poco tiempo. Emigramos a España, y a los 3 años tengo mi tercera hija, una negra bella a quien le llamamos Bliny. En el año 2005 registramos nuestro matrimonio en Europa para optimizar nuestros documentos, y al estar todo bien y legal, nació nuestra hija, la segunda del matrimonio, a quien llamamos Jovis. Todos nos llevamos súper bien y nos amamos. Pasan muchos años de felicidad, hasta que pasa algún que otro altibajo, que no debe pasar,

Hoy en día Yulita y yo estamos separados. Estoy súper tranquila y muy agradecida con Dios, por el tiempo compartido años de felicidad y compromiso mutuo, le deseo lo mejor de la vida y que Dios lo bendiga y lo ayude a encontrar su horizonte, sabe que puede contar conmigo para lo que se pueda y se deba, Bien les cuento; Tengo una nietica divina de 3 añitos, quien alegra mis ratos tristes y da vida a mi vida la amo, aún no la conozco personalmente porque está en otro país, la veo por video llamadas.

Es la bebé más bella he inteligente, la que me enamora cada vez que la veo y la escucho cantar, bailar y charlar, además, tiene una cabellera hermosa más abajo de sus nalguitas ondulada negra divina Dios permita que muy pronto pueda estar con ellas es lo que más deseo. Mi nieta me recuerda mucho a la melena de mi madre en su juventud, ya que hoy en día la lleva muy cortica a ella le gusta así y la verdad se ve linda y además sigue siendo coqueta y le fascina estar bien. Hoy les puedo decir alto y claro que todo en la vida es supervivencia y se supera que aprendemos de lo bueno y lo malo y todo absolutamente todo nos hace únicos y originales, descubriendo nuestro gran potencial, explorar para aprender a disfrutar ya que el ser humano es Resiliente por naturaleza.

Ya decidida con mi familia y saliendo adelante con mis hijas, decido ir a buscar a mi padre a Colombia. Yo feliz pensando que mi papá conmigo cerca ya no pasaría necesidad ni sufriría más, recuerdo que fui sola mis hijas querían ir pero les dije que no, Que me dejaran lograrlo sola que yo tenía que encontrarlo y regresaría con su abuelito mis hijas no lo conocían se quedaron asustaditas y aburridas, ok me marche a mi barrio emocionada con mil sentimientos encontrados, bajé del coche y algunos conocidos amigos y panas de mi padre, de la vieja guardia como ellos dicen, ¿Quiénes son ellos? la gente linda humilde

y sencilla del 1 de agosto en Dosquebradas me reconocieron estaban justo hay en la esquina del primero, como si no hubiera pasado el tiempo, muy lindos me saludaron con cariño y respeto de mi parte recibieron lo mismo como es posible que me recuerden si hace más de 20 años que me marché estaban hay más mayores y mal tratados pero eran ellos las personas que de pequeña me cuidaban las (bombas caletas o mercancía) para que ese condenado del Malo no me castigara se imaginan rompí en llanto y me dieron una botellita de agua les agradecí les pregunté por papá y me dijeron; el vive abajo en el hueco, les dije; ok, gracias voy a buscarlo, me alegra verlos cuidasen, y algo que me partió el alma, fue la forma en la que me hablaron me dijeron; Madre usted no se puede meter al hueco es muy peligroso y usted bien linda y elegante, le dije eso no es nada, por qué no voy a poder, Madre, es que muchas cosas cambiaron, eso lo maneja la cordillera, y les dije; mejor aún porque no sé quiénes son, además no tengo miedo este es mi barrio, mi gente donde me crie, y mi padre vive aquí, que de malo me puede pasar si ustedes están aquí y empecé abajar la faldita para ir al rancho donde vive papá que justo pasa el rio y estaba crecido por que llovió esa noche, me encuentro con la primera casa vieja pensé esta debe ser una venta de droga voy pasando y en el patio se ven 2 perros con cadena eso me asustó un poco pero me tranquilicé al ver el cerco y seguí más adelante no se veía nada, la hierba estaba muy crecida alta y el camino muy embarrado, mucha

123

basura, excrementos, electrodomésticos viejos oxidados, Ellos; los conocidos de papá estaban pendientes sin yo pedirles ayuda, escuchó que dicen muy fuerte algo de grito quien está por aquí y de momento me asuste solo escucho que dicen es la hija de chuco del hueco, y el hombre contesta muy enojado saben que no pueden dejar pasar a nadie como tengo que decirles, hay estaba pero el no logró parar mi búsqueda, con el tiempo medí cuenta que ese chico era hijo de una sobrina de papá Claudia igual yo conteste a los chicos que estaban de arriba gracias muchachos, el tipo salió en pura hijuemadre al escuchar una voz extraña, para el cuándo lo veo frente a mí,

alto fuerte mal encarado, no me extraña que por eso los chicos me advirtieran, y le dije tranquilo soy la hija de Betin creo que por eso no me agredió porque papá era como su tío y como sé que no es de la judicial le dije mucho gusto mi nombre es Lina no se preocupe solo vengo a buscar a mi padre no

124

soy lo que dices, ya quisiera yo, me dijo; llámelo a ver si le contesta para yo creerle y lo llame Betin Betin Beto contésteme soy yo Lina, su hija, cuando me logra escuchar veo que levanta esa cobija vieja y saca la cabeza, quien, quien es y le dije; soy yo papá Lina su niña; salió de una, asustado y emocionados nos abrazamos. Él tenía pena y vergüenza de saludarme, de que yo entrara, solo medió la bendición y me repitió lo que me dijeron los primeros chicos y le dije; tranquilo papá no pasa nada ¿Que está haciendo? y me dice nada con unos compañeros estaban consumiendo, pobres ese sitio olía horrible, humedad, popó, orina, ratas, un sitio abandonado peor que un basurero, no sé cómo pudo sobrevivir a eso Dios mío que tristeza, estaba en el mero huesito muy delgado y amarillo enfermo de vicio, que injusticia que por esa mierda le cobraba alquiler la sobrina, como le conté entre mi hermana mayor y yo le mandábamos el dinero para sus gastos a pesar de todo, dinero no le faltó y bien vestido y con sus zapatos brillosos siempre hablábamos por tel., un día si uno no y así jamás lo olvidamos mi hermana Milena le compró el tel. celular y eso lo cuidaba más que a niño bobo, porque sabía que nosotras estábamos pendientes, y que si no nos contestaba nos preocupábamos más me dijo; mija porque no me dijo que ya estaba aquí en Colombia, cuando llegó y le dije; papá le quise dar la sorpresa, vamos a la esquina hay un negocio vamos a comer que tengo hambre, haya están sus parceros Juaco William y Néstor de los que recordé el nombre, a bueno hija espere ok papá lo espero, entró al rancho y les dijo algo y salió conmigo, de subida están los chicos y le dicen; cucho está feliz y él decía si, si mucho mire la sorpresota que me dio, casi me muero cuando la vi haya metida con ese man tan jodido, hablaban del jefe de la cordillera el del mando, Les dije; a mí nunca me pasa nada ¿saben porque? Si porque Dios está en mi camino nunca olviden el salmo 91, si, si recuerdo que usted nos enseñó mis lágrimas eran de sangre de ver las condiciones infrahumanas, todos comimos los que estaban en la esquina pero papá tenía el vicio recién casi no comió nada medio mucho pesar, recuerdo el señor del negocio le decía; cucho váyase con su hija mire tan linda vino a buscarlo y papá le dijo; si yo me voy pero mañana, hoy tengo cosas que hacer. La idea mía era sacarlo de ahí a comer para llevármelo para mi casa pero no fue así, me dijo por favor hija hoy no venga mañana por mí que tengo una cita en el puesto de salud justo donde nos hicieron el tratamiento aquel que les conté que la voy a esperar y bueno me lo prometió nos despedimos yo me fui triste y feliz así la prisa de él era sacarme de ese hueco, así que llegue a casa positiva y mirando el reloj para estar en la cita con papá al otro día, no dormí estaba muy ansiosa, saben dónde me dijo que me esperaba en la puerta de la profesora Aceneth me dijo si se acuerda de su maestra y le dije claro padre nunca la he olvidado la que nos daba comida medí cuenta después que papá le compraba el gas o la carne le hacía algún mandado y también le daba comida o dinero muchas veces a él, eso me contó mi padre tiempo después estando ya en casa, hay estábamos cumplidas como novias feas, esperándolo mis 2 niñas y yo, cuando llegó los presenté mis niñas muy lindas lo recibieron muy bien y felices y nos fuimos a santa teresita al médico estando en la consulta es que me doy cuenta que mi padre recién había pasado por un derrame leve, Yo muy triste pero feliz, ya no nos vamos a separar y lo puedo cuidar así que recibimos todo las recomendaciones y todo del médico y regresamos al hueco por las cosas de papá, mire como es la vida ese día nadie absolutamente nadie nos dijo nada y entramos como pedro por su casa los 4 al hueco disque por su ropita mis hijas miraban calladas solo lloraban y le decían; abuelo donde tiene la ropita, aquí hija, pobrecito una ropa húmeda podrida calcetines malos ropita interior rota en malas condiciones y empieza a sacar bobaditas billetes de colección de toda la vida y se los regalo a mi hija, realmente no tenía nada bueno cositas de aseo y poco más, le dolió despedirse de su barrio y su gente y nosotras felices por él, desde ese día puedo decir que papá solo salía con nosotras, mi padre solito en ese rancho había pasado por un derrame leve, pero le dejó la pierna derecha un poco impedida, así que él era feliz con nosotras, Dios me envió en el momento justo para rescatar algo de ese gran ser humano, el pasó toda su vida sin caer en cuenta de todo lo maravilloso que se perdía, que le faltaba, pensé que me costaría mucho sacarlo de ese sitio, pero gracias a Dios papá no opuso resistencia, realmente entendí mi padre nos necesitaba y no precisamente de la forma que estuvimos siempre mi hermana mayor y yo económicamente, No mi padre nos necesitaba para compartir con nosotras su familia, él carecía de cariño y cuidado, estuvo muy solito toda la vida, todos teníamos la necesidad de reencontrarnos en amor y perdón desde la humildad y la solidaridad sin señalar a nadie y entender que somos familia, y que pase lo que pase estamos para soportarnos y apoyarnos, estaba mal con esa situación y en esas condiciones lo rescató de ese rancho ya hace un año que estamos junticos, disfrutando el uno del otro y aprovechando la familia, Lo más triste de todo es contarles que mi padre de un día para otro, y sin anomalía alguna, siendo un hombre joven y sano, a quien muy rara vez le daba una simple gripa, excepto la enfermedad que les conté, pero era muy joven y la superó muy bien, sin dejarle secuelas, y por su profesión tan dura jamás se rindió, fue valiente hasta el final. No les miento, fue muy sufrido por todo lo sucedido en su familia y por haber vivido prácticamente en la calle con múltiples necesidades, como un plato de alimento caliente y en buenas condiciones o una buena cama para dormir. Él fue fuerte como un roble, y así pasó su vida libremente sin ataduras ni obligaciones, y mucho menos sin explicaciones, porque jamás se volvió a enamorar o casar nunca, no lo volvimos a ver con nadie, siempre estuvo enamorado de mi madre por toda la eternidad.

Así siempre fue hasta el 15 de mayo de 2016, cuando estando conmigo en casa, iban hacer las 5 de la madrugada y me levanté para despachar a mis niñas al colegio y le llevé los tragos a la mesa de noche como de costumbre. Su café era sagrado, solo le dije "papá tómese el cafecito, voy a llevar a las niñas al colegio, ya vengo", como no me contestó, lo miré y lo vi dormido, me pareció raro, pero no me detuve, me marché rápidamente. En el camino pensé como sorprendida, él siempre estaba pendiente de la hora para que no me cogiera la tarde y las niñas llegaran temprano a clases, en fin, aceleré el paso y regresé rápidamente.

Al llegar a casa, pasé derecho a su habitación, me asusté mucho, seguía dormido, no se tomó el café.

Intenté despertarlo, en ese momento lo único que vi fue un poco de sangre en la almohada de lado de su oído derecho. Lo llamé desesperada y se despertó, me miró y yo enseguida le pregunté cómo se sentía, ya que no se había tomado el café, pero él sólo me miraba. Así que lo senté en el borde de la cama, mi padre intentó tocarse la cabeza, pero no fue capaz de levantar su brazo. Como seguía a su lado, le pregunté si le dolía, pero solo me movió los ojos para decirme que sí.

De inmediato, lo arreglé mientras mi hija viví llamó para pedir un taxi que nos llevara rumbo a la clínica, pero de allí no salimos con papá en buen estado, quedó como un vegetal producto de múltiples infartos cerebrales, desde ese momento lo cuidamos entre todas como un bebé. Logramos que le dieran hospitalización en casa con mil terapias. Era muy duro verlo conectado con todos esos aparatos. Para todas era un sufrimiento verlo así; aparte, todo el tratamiento fue súper costoso. Fue muy agotador para mí, estuve 24/7 sin descanso.

Por mi parte, mis niñas buenamente me ayudaron en todo lo que podían con él y les agradezco enormemente, ellas son mi tesoro, mi pilar, mi vida entera, son mi motor, las amo inmensamente, "mis niñas" aún son muy pequeñas.

Sabía que era un desafío económico y humano tener a mi padre en casa, pero a mí no me importó pagar eso, y más, con tal que papá estuviera bien y se recuperara. Mi fe es muy grande y poderosa. Yo soy valiente como él, estuve dándole lo mejor que pude y tratándolo con todo mi amor, paciencia, respeto y cariño. Afortunado como mi padre pocos, tenía un especialista para cada órgano: Cardiólogo, Terapia Física, Terapia Respiratoria, Gastroenterólogo, y mucho más. La evolución era poca, pero se notaba que cada día avanzaba un poco más, todas estábamos muy felices de ver la recuperación; pasó mes y medio le quitaron los aparatos, poco a poco aprendió a comer solito, hablar, a reconocer, a caminar, no súper bien, pero logró ponerse de pie y caminaba por toda la casa con su caminador o prendido de las paredes,

Un día me dio tremenda sorpresa, lo duché, lo preparé bien con sus medicinas y lo dejé "disqué durmiendo", después del baño. Me fui a preparar el almuerzo, cuando de un momento a otro lo veo de pie, prácticamente detrás de mi diciéndome "Linita, mi niña linda, ya está el almuerzo... huele muy rico, ¿qué estás haciendo de comida?" Yo me encontré con todos los sentimientos juntos y sin poder expresarlos ni gritarlos porque el de pronto se asustaba.

Yo estaba muy feliz y agradecida con Dios, seguía muy sorprendida de ver la evolución tan maravillosa que tuvo. ¿Sin que él notara mi emoción, le dije "si papá ya está listo y adivina qué les prepare?" y me contesta Hui hija, creo que es sudado!" y para animarlo le dije "si padre, muy bien, adivinó, usted es un papá muy inteligente!

Seguidamente, le pregunté si quería comer ya o esperábamos a las niñas, y él sin dudarlo me dijo que esperáramos a las niñas, y preguntó si mi madre no había venido, le dije ahora más tarde vendrá, ¿quiere verla?, le pregunto con picardía, y me dijo que sí.

Ella llegaba y a él le brillaban los ojos de felicidad. Papá la amó mucho, se sentaban en la sala y mamá le preguntaba cosas todo el tiempo para que él no perdiera el hilo de la charla. Mi mamá le decía "oiga señor, ¿usted cómo durmió?, y él en una respuesta corta le decía "bien", ¿dígame que desayunó? Insistía mi madre, y él con claridad le respondía "no me acuerdo", "ah bueno, decía ella ¿ya se bañó?", y así seguía ella preguntándole cosas como:

¿sabe quién es Cecilia? (Es la mamá de mi padre), le preguntaba, y él le dijo ella es mi mamá, cierto y ella le dijo si muy bien usted sabe mucho, por los hermanos, se acordaba del Malo y de su hermanita mayor Libia le dije papá y le gustaría verla y me dijo que si ella es la abuelita de Mi Mono que viven en Cali inmediatamente llamé que la trajeran y me la dejaran dos semanas no se imaginan ese encuentro los dos hermanitos y enfermos, pero al hilo con la cabeza hablaron de todo a pesar que mi tía es la hermana mayor tiene su cabeza muy bien, papá recuerda el nombre de algunos hermanos, y así pasaban la tarde juntos con mamá recordando,

Ese día mi mamá le dijo; que el fin de semana sería el día del Padre, él se emocionó, pero la verdad no creo que recuerda ni siquiera que es papá. A mí me dice casi siempre mamá, y soy su hija, lo cierto es que ese día lo puse hermoso con su mejor ropita. Estaba contento, bailamos, comió mucha tarta, almorzó con todos ese y lo siguientes días, me dijo que quería comer mucha mazamorra, escuchaba la corneta y decía ya viene "Garrapato" saque la olla (así le decimos al señor que la vende la mazamorra)

136

Durante esos días, antes de su recaída, estaba muy activo, jugando y charlando con todas sus nietas hasta les hizo bromas. Muy comelón pidió de todo, aguacate, queso, pescado, hasta arepa de chócolo, le vi los ojitos muy dilatados, pero seguía activo y bien. Mi madre venía a mi casa para ayudarme con él, ya que por su grabe enfermedad lo teníamos que cuidar como un bebé, aunque la verdad entre mi hermana Milena y yo jamás lo desamparamos, le pagamos sus gastos en ese rancho viejo donde le cobraban alquiler las sobrinas, y a pesar de todo, siempre tenía dinero para todas sus cosas.

Con sus 67 años nuevamente presentó una recaída pacífica y tranquila. Estábamos todos sentados en la sala pasando una tarde normal, hacía mucho calor. Yo tenía a papá fresquito, estaba en una bermuda, descalzo y con un trapo mojado en el cuello para apaciguar el calor tan horrible. Fue algo muy lindo, estaba sentado en el sofá, y lentamente, como el sofá era resbaladizo, se fue arrodillando en el suelo, puso sus manos para orar y dar gracias a Dios; simplemente lo observamos, y le pregunté ¿papá que tiene?, pero no nos respondió, solo vimos que inclinó su cabeza hacia la derecha.

Urgentemente mi mamá llamó un taxi y llegamos en siete minutos. Yo súper asustada y muy nerviosa veo que lo entran a quirófano intentando mil maniobras para reanimarlo, pero fue en vano, mi padre tuvo una muerte cerebral fulminante. Prepararon todo y lo remitieron de urgencia para Pereira, que es un hospital mucho más acondicionado y preparado.

Lo reciben en el hospital para confirmar el daño irreversible que estaba cursando, los doctores me dijeron "lo siento mucho, tu padre tiene el cerebro lleno de sangre, sus venas se reventaron y eso le ocasionó muerte cerebral. Tranquila, él allí como está no siente dolor, ni nada, posiblemente si la escuché. Vaya y le habla, despídase de él y dígale cuanto lo amó, o lo que usted quiera hablarle, él estará así hasta que su corazón ya no funcione, es cuestión de minutos o segundos; por eso, debemos hacer todos estos documentos cuanto antes yo ya los llené solo necesitamos sus firmas en todos para poder tramitar la desconexión y entregar el cuerpo".

¡Qué fuerte y qué dolor tan grande!, simplemente no podía pensar y sentir que yo iba a firmar para acabar con su vida, para mí había sido mucho sufrimiento y sin una oportunidad más. Me dejó con deseos de luchar por él, yo le digo a mi familia y solo me dicen "eres una excelente hija, le diste todo lo que tenías y más no tienes que sentirte así".

Volviendo a ese momento, le respondo al doctor no puedo hacer eso. Lloro y lloro sola sin saber qué hacer, nada sanaba mi corazón. "Señora, por favor, debe firmar, el no volverá y esta vez fue fatal, casi fulminante", me reiteraba el doctor. Mi padre Luis Alberto Rendón Duque murió el dos de julio del año 2016 a las 5 pm, en mi casa en Cuba Colombia con muerte cerebral, y a las 10 pm lo desconectaron, se imaginan el vacío tan grande el dolor sin mi padre, el soporte más grande y lindo fueron mis hijas mi familia, con su ayuda preparo todo para su funeral decido cremación y dejarlo libre así como era él desde lo más alto del rio consota esparcí sus cenizas, Ese fue el primer rio que mi padre trabajo, al poco tiempo ya sin mi padre ni nada pendiente decido emigrar de nuevo y desde entonces aquí estoy de pie fuerte y decidida a dejar huellas positivas y un buen legado para el mundo en especial a mis hijas y mi nietica,

Desde que yo cumplí mis 15 años volví a ver a mi madre, ella también ha pasado lo suyo Dios la ha hecho fuerte siempre vive muy cerca de nosotras, entre mi hermana y yo le ayudamos económicamente, ella tiene su pareja, llevamos dos largos años con múltiples tratamientos, sacándola adelante y superando secuelas de esa grave enfermedad, se llama tuberculosis abdominal, ahora

140

mismo la tiene en el estómago, es muy dura la situación, se hincha, se descompensa, se llena de líquido, tanto que hasta 16 bolsas le extraen, esto va evolucionando, no es contagiosa pero sí muy agresiva y peligrosa, dura enfermedad, que nos arrebató a nuestra amada abuela Nohemí, te amaré por siempre.

Los 5 hijos del señor Luis, en la capilla del reclusorio de La 40, durante una de las visitas.

Editor literario:
Jhon Steveens Reyes

Diseño de Portada y contra portada
Kelly Rivera
Isabel López

Colaboradores:

Britney Ballesteros.

FIN.

Para; *Goilade*

Con cariño, gracias por estar en mi Vida

T.Q. conmigo hasta el infinito y más allá

I love you ♡

Firma,

Printed in Great Britain
by Amazon